Si je n'avais plus qu'une heure à vivre

Sauternau du Parc 2017

Roger-Pol Droit

Si je n'avais plus qu'une heure à vivre

© Odile Jacob, décembre 2013

15, rue Soufflot, 75005 Paris

www.odilejacob.fr

ISBN : 978-2-7381-3062-4

Pour Marie,
ma grande fille

c'est venu d'un coup,
ça s'est imposé, je n'ai pas choisi, pas délibéré,
soudain ce fut évident, inéluctable, impérieux
il fallait
sans que je sache ni comment ni pourquoi, ni où
j'allais ni ce qui pourrait advenir
le projet, je ne l'ai ni conçu ni préparé, je ne l'ai
pas vu venir, il s'est emparé de moi, à ma surprise,
presque à mon corps défendant
j'ai même tenté, pas longtemps, de faire comme si
je n'avais rien vu, je regardais ailleurs, poursuivais
d'autres tâches, rien à faire, cette chose-là s'installait,
captatrice, envahissante, abrupte, impossible d'esqui-
ver, même sans comprendre, surtout sans comprendre,
c'est elle qui commandait
sans doute a-t-elle cheminé longtemps, par des voies
souterraines, avant de surgir avec cette évidence brute
d'abord, c'est vrai, j'ai eu l'impression de n'y avoir
jamais pensé auparavant

pourtant, il m'a semblé presque la reconnaître, y retrouver quelque vieux plan, discerner une décision ancienne, une familiarité secrète avec l'horizon de la mort, de la disparition, le sens d'une finitude aiguisé,

ce n'est pas forcément triste, juste aigu, poignant, affûté, comme une exigence de ne pas faire semblant, imaginer la fin toute proche, faire l'expérience des conséquences

je ne suis pas le premier à le faire, j'ai envie de m'y risquer à mon tour

si je n'avais plus qu'une heure à vivre, une heure seulement, exactement, inéluctablement, qu'en ferais-je ?

quels actes accomplir ?

que penser, éprouver, vouloir ?

quelle trace laisser ?

cette question de la dernière heure m'est tombée dessus, très ancienne et toute fraîche, venue de la nuit des temps, surgie ce matin

imaginons donc : dans trois mille six cents secondes et pas une de plus... hoquet bref, long soupir, spasme, contracture, quelque chose et puis plus rien, arrêt du cœur, fin du souffle, encéphalogramme plat

seraient finis pour moi l'univers, la tendresse de l'extrême, le rire des enfants, la cérémonie du thé, l'alchimie des vins, la haine de la haine et tout ce qui s'ensuit,

finie la vie, bonjour les mystères,
mystère de cet arrêt,
mystère de ce qu'il y a au-delà,
mystère de ce qu'il faut faire avant,
alors tout devient plus intense, plus urgent et plus
dense
il faudrait écarter les illusions, les trompe-l'œil, ôter
le superflu, aller à l'essentiel, direct, mais il est où,
l'essentiel ?
qu'en sais-je et qui le sait ? le superflu aussi se fait
passer pour l'essentiel
pourtant il n'y a pas de temps à perdre, le compte
à rebours est lancé
bien sûr, c'est un artifice, une construction, je fabrique
une hypothèse, je vais faire comme si,
il y a peu de situations concrètes, dans la réalité, où
je saurais que je vais disparaître dans une heure pile,
il faudrait avoir bu la ciguë, comme Socrate condamné,
sentant ses jambes s'engourdir, sachant que le poison
bientôt atteindra le bas du ventre, puis le cœur,
ou bien se trouver dans le couloir de la mort d'une
prison texane, dernière grâce rejetée, heure de l'injec-
tion fixée
ce ne sont pas des situations courantes
dans la banalité réelle, on ne sait évidemment ni le
jour ni l'heure

on meurt par hasard ou par rencontre, sans trop
savoir, sans vraiment penser, souvent sans rien décider, accident, infarctus, AVC, autobus, peu importe
le fil casse net, sans préavis, à l'instant
ou bien longue maladie, déclin par paliers, espérances
perdues pas à pas, marche après marche et on tombe
sans avoir, seulement une fois, fait le point
c'est justement ça que je ne veux pas, que je ne peux
pas supporter,
je voudrais mettre au net quelque chose, même en
hâte, même en désordre, même sans lisser les phrases
ni peigner la syntaxe, je ne sais pas vraiment quoi,
mais justement je veux aller voir
tenter de filtrer ce que j'ai pu apprendre de la vie
et qui pourrait, pourquoi pas, peut-être servir à
d'autres,
imaginer que je vais mourir dans une heure, une
heure et pas plus, comme chante Aznavour,
c'est donc bien un jeu, une histoire que je forge,
une fiction, un dispositif de pensée, une sorte de praticable pour s'exercer à réfléchir

★

un jeu, c'est une façon de parler
inutile de hausser les épaules, de dire « ce n'est qu'un
jeu », donc rien de sérieux, pas grave

erreur complète

rien n'est plus sérieux que le jeu

Montaigne le savait bien : « les jeux des enfants ne sont pas des jeux, et il faut les juger, chez eux, comme leurs actions les plus sérieuses »

sauf qu'il a tort, le brave gentilhomme, de s'en tenir aux enfants, alors que toutes les affaires humaines ont la structure du jeu

« on dirait qu'on serait des pirates », ou des explorateurs, des cow-boys, des Indiens, des moines, des pèlerins, des magistrats, des philosophes, des gendarmes, des présidents, des chercheurs, des rois de Navarre, des bouffons, des architectes, des pharmaciens, des boulangers, des droguistes, des musiciens, des clowns, des médecins...

peu importe

pas d'activité humaine, si sérieuse qu'on voudra, sans ce décret de l'imaginaire, cette instauration d'un espace normé, d'une représentation spécifique

« on dirait qu'on serait... », c'est toujours ainsi que commencent une méditation, une action, un projet, surtout ne pas se limiter à des jeux théoriques

la même structure se retrouve partout : on dirait qu'on serait forgeron, avocat, garagiste, cultivateur, général, chanteur

on serait en train de réfléchir

on serait à la recherche de la Cité juste
ou bien sur les traces de la vertu, de la vérité, de la
beauté, de l'amour, partis en quête de l'essence du
langage, de l'origine du pouvoir, du sens du temps,
de la nature de l'espace…
Platon appelle cela « jouer sérieusement », Xénophon
prête la formule à Socrate pour qualifier la philosophie, mais c'est toujours un jeu
on dirait que ma fin est proche,
le terme est fixé dans une heure, définitivement,
rien n'y fera, impossible de transiger, pas d'échap-
patoire
ce jeu, praticable par tous, ne concerne chaque fois,
au plus intime de ses choix, qu'un seul
celui qui va mourir, cette fois,
dans ce jeu-là, c'est moi
le jeu consiste à explorer l'espace singulier de ce
temps court,
comme une expérience cruciale, révélatrice, où
il serait pratiquement impossible de faire semblant,
de biaiser, de prendre un masque, de jouer un
rôle
une expérience qui mette à nu, contraigne à sonner
vrai, quelle qu'en soit la conséquence, même si le
résultat choque, déplaît, déçoit, dégoûte
rien de morbide pourtant

★

si je n'avais plus qu'une heure à vivre, il faudrait que
la mort elle-même, devenue si proche, ne soit pas
ma préoccupation première
ce qui compterait serait plutôt de comprendre, pour
commencer, ce qui vient de changer
limitée à une heure, voilà que la vie n'a plus les
mêmes caractéristiques
j'ai toujours un passé, un présent,
il n'y a plus d'avenir
me voici délesté d'une foule de projets, de préoccupations, d'inquiétudes, de contraintes
en une heure, plus besoin de me préoccuper de ma
santé, inutile de faire de la musculation, de suivre un
régime,
surveiller le poids, la tension, le taux de ceci, le manque
de cela deviennent des préoccupations risibles
je devrais finir juste comme je suis, sans avoir le temps
de rien, ni de grossir ni de maigrir, ni de guérir ni
de tomber malade,
je n'ai plus le temps non plus de m'enrichir ou de
m'appauvrir, de changer de situation, d'état, de statut,
les jeux sont faits
pour tout, ou presque tout, il ne reste qu'une marge
exiguë, qui va se rétrécissant de seconde en seconde

c'est très étrange
étrange de n'avoir qu'un avenir infime, si restreint qu'il
est inexistant, un avenir borné, net, délimité,
d'habitude, l'horizon est flou, incertain, forcément
vague
on sait bien que le temps disponible diminue, que le
futur d'année en année s'amenuise, on a beau le comprendre d'autant mieux et plus fortement qu'on est
moins jeune, il subsiste toujours une heureuse ignorance,
elle permet beaucoup : continuer à espérer, s'obstiner
à faire des projets, se raconter des avenirs, jouer avec
les possibles, supputer des chances, rêver des hasards…
tout cela est désormais déclaré clos
je me trouve rivé à un présent muré
avec à peine un avenir de poche
riquiqui d'avenir, trois fois rien d'existence restante
avec trois fois rien, comme dit Devos, on peut déjà
s'acheter quelque chose
j'ai envie de résister, de me battre, de rugir, de hurler,
tout plutôt que l'inertie et l'accablement
voilà qui me met en ébullition

*

je me dis qu'après tout *je n'aurais plus rien à perdre*,
s'il ne me restait plus qu'une heure à vivre, pourquoi
ne pas me jeter, à la folie, dans tout ce que je n'ai

jamais fait, jamais osé, par décence ou par crainte, je ne sais,

pourquoi ne pas m'exploser d'une première et ultime invraisemblable défonce, issue de toutes les poudres blanches, de tous les champignons, de toutes les extases chimiques possibles, mourir d'overdose avant l'heure, ça aurait peut-être de l'allure,

ou alors trucider quelques-uns des humains que je hais, ceux que j'abhorre, les crever à la balle et au couteau, leur faire gicler les tripes, le cœur, la cervelle, les laisser mariner dans leur sang et cracher sur leur cadavre, ah, ce serait une joie,

ou bien braquer une joaillerie, sans raison, juste pour le plaisir, et saccager des vitrines,

ou encore me perdre dans une orgie paroxystique, m'anéantir dans le foutre, le vomi et l'alcool,

des choses comme ça... qu'on se dit qu'on devrait faire puisqu'il n'y aurait plus de lendemain, que ce sont les derniers instants, qu'il n'y en aura pas d'autres, alors ça vaudrait le coup de transgresser, de tout envoyer promener, et les convenances et les valeurs et l'éthique et le reste, et bien sûr la prudence, la mesure, la tempérance, la bienséance, toutes ces conneries pour les autres jours, les heures normales, mais pas pour la dernière, celle où rien ne va plus, faites vos jeux, autrement, rien qu'une fois, la dernière,

où je dirais par exemple l'abjection des intellectuels, la médiocrité des contemporains, la veulerie des dénommés philosophes, la moiteur rance des universitaires, où je déballerais des tas de sales petits secrets, cracherais des litres de venin
mais à quoi bon, cela aussi est vain, aussi vain que de rester abattu prostré,
il n'y a pas de bon ressentiment

*

il faut repartir autrement, *garder un horizon*, même si pour moi l'avenir est perdu, plutôt que de me plaindre ou de m'encolérer,
car si je n'avais plus qu'une heure à vivre, il faudrait en finir avec cette fin du futur, cette restriction du laps,
drastique, rien qu'une heure,
alors que dans la vie on croit toujours avoir le temps, donc on s'en fout, se console, imagine qu'un jour... demain, plus tard, l'an prochain, celui d'après, quand je serai grand, quand je serai vieux, ou tranquille, ou guéri, ou enfin seul, ou enfin pas seul, la semaine prochaine, ou dans dix ans,
toujours de l'incertain, de la marge, des lointains, mais là chaque seconde qui passe est une seconde de moins, inéluctablement,

donc ça va finir, définitivement, basculer, s'éclipser, s'effacer, s'annuler, ça va mourir, disparaître, muer, muter, transmuter, qu'en sais-je ?

que sais-je de cela, qu'en puis-je savoir ? rien, sauf que ça va le faire, même si je ne sais pas ce qu'est « ça », ni ce que « ça » va faire, malgré tout ça le fera, dans une heure, un peu moins maintenant, déjà, voilà qui semble nouveau, différent, insupportable, mais pourquoi donc est-ce insupportable ? est-ce nouveau ? toujours j'ai dû mourir un jour, mais quand je me le racontais, c'était si loin, c'était dans long-temps, si longtemps, qu'est-ce que ça change, cette certitude, cette proximité, l'eau qui monte, la faux qui descend du plafond, comme dans le puits et le pendule, la nouvelle d'Edgar Poe, le type attaché dans le fond voyant vers lui la faux descendre qui tout à l'heure va lui trancher la gorge, ça change quoi ?

la limite fixée, le terme connu ont l'air de tout changer

de balayer illusions d'avenir, hochets, projets, petites histoires de jours meilleurs, de sursis, encore un ins-tant, rien qu'un peu de rab, une gorgée, une cuillère, un fond de verre, une caresse, juste un regard, un rai de lumière, un souffle d'air, un parfum qui passe, encore un, un en plus, pour repousser l'échéance, d'ailleurs on ne sait pas qu'elle est si proche, on se fabrique des fables, des longévités possibles, des rémissions, des guérisons, des miracles et des banalités,

cette fois, je me suis mis dans la situation où la fin est inéluctable et toute proche, pas d'ouverture, pas d'horizon, pas de flou, rien de ce qui fait l'avenir, ce qui peut advenir encore n'est pas égal à zéro mais tout petit, très restreint

question de minutes,

est-ce vrai ?

et s'il ne s'agissait que de mettre à nu ce qui est ?

si j'avais encore autant d'instants et aussi denses que n'importe quand ?

il me resterait à creuser sur place, à rassembler des bouts, bribes de souvenirs, d'idées, de mots, de sentiments, les lier comme je peux, sans chercher à inventer, presque sans chercher à comprendre, même si on cherche toujours plus ou moins un bout de sens, une bribe, une suite, voilà, oui, une suite, en fait nous sommes toujours embarqués dans des suites, nous avons forcément raté le début,

personne ne sait comment tout a commencé, ni comment ni pourquoi ni par qui,

des épisodes précédents, nous connaissons quelques-uns, seulement les derniers, nous ne comprenons pas les tenants et les aboutissants,

dans cette histoire de l'existence, il subsiste trop de
lacunes, de blancs, de personnages énigmatiques,
il y a aussi, en apparence, quantité de trop-pleins,
d'excédents, de choses insensées,
mais il faut faire avec,
tenter de réécrire l'histoire, de lui donner un semblant
de cohérence, un début d'organisation, une forme
d'intelligibilité, vaille que vaille, de guingois, continûment bancale,
ce qui nous sauve, en général, c'est la volonté d'écrire
la suite, la suite de cette suite où nous sommes tombés
sans savoir où elle va, pas plus que nous ne savons
d'où elle vient,
pour pouvoir continuer le feuilleton, un temps d'après
est posé, forcément
comme une évidence
une certitude ou une nécessité
une continuité qui échappe à nos effrois
comme si, malgré les battements du cœur, les affolements les émois les paniques, il y avait aussi, à
côté, au-dedans, en travers, au-dessus, au-dessous,
je ne sais, je ne saurais dire où cela se situe, peu
importe, quelque chose qui suit son cours, seul,
ne s'alimente à rien, s'auto-entretient, se dévide
imperturbablement,
on dirait la vie

★

la vie comme un battement, oui, une courte suite entre deux lacunes, un truc qui vient toujours après et toujours avant,
battement entre néant et néant,
d'ailleurs néant, c'est encore trop dire, car en fait on ne sait pas, ce n'est rien du tout, rien de rien, juste un battement
mais un battement de quoi ?
de cœur, d'aile, de cil, de tambour ?
la vie, un battement, rien d'autre, dit comme ça, ça paraît simple,
pourtant rien n'est plus difficile à définir qu'un battement,
ça ne peut pas se saisir, se fixer, s'épingler, ce n'est que pulsation, mouvement, entre-deux, passage, différentiel, toujours entre, jamais fixe, jamais situé ni situable d'un côté ni de l'autre,
le battement n'est que mouvement d'un instant,
instant entre des instants, passage d'un plus à un moins, ou l'inverse, de haut en bas, de bas en haut, inspire-expire, systole-diastole, on-off, interminablement
la vie qui bat, qui pulse, qui va et vient tout le temps, on ne peut pas la voir,

on ne voit jamais un battement, on peut l'éprouver,
le traverser, le ressentir, jamais le contempler,
on ne peut pas voir la vie parce qu'on est dedans,
dans le battement,
pour pouvoir le contempler, comme on contemple la
mer, la montagne ou le soleil couchant, comme on
observe le vol des mouettes ou la course d'un cheval,
il faudrait être dehors, scruter de l'extérieur, ce qu'on
ne peut faire, puisqu'on est toujours au-dedans, au
sein du battement,
donc on ne voit rien,
il n'y a pas que le soleil et la mort qui ne peuvent
pas se regarder en face, il y a aussi la vie, pour d'autres
raisons,
parce que la vie comme battement est intervalle,
écart, rien d'autre, écart du corps, du souffle, de l'œil,
des mots, écart et succession d'écarts, bruissement de
battements éparpillés au sein d'un seul,
et de ces battements, plus ou moins vils, plus ou
moins nombreux, plus ou moins intenses, dépend ce
qu'on dénomme, bêtement, faute de mieux, sans
savoir, le bonheur

★

le fait est qu'on sait de moins en moins ce que peut
signifier ce mot, *le bonheur n'est pas un état continu,*

stable, homogène et lisse, un paroxysme immobile et inoxydable de béatitude sans fin,

ceci n'est que foutaise, refoutaise, totale foutaise,

ceci n'existe jamais, ne se rencontre nulle part, sauf dans quelque hypothétique au-delà, Paradis supposé, rêve d'Éden, des lieux où la main de l'homme n'a jamais mis le pied, comme disait Agénor Fenouillard, ce que nous vivons est tout autre, tout différent, ce sont des séries, des successions, du vrac chaotique, des kyrielles d'événements, de sensations, de sentiments, ceux qui « éjouissent », comme dit Montaigne, et ceux qui peinent,

extases et désolations, enjouements et dérélictions, chatouillis et dégueulis, tous toujours indéfiniment mêlés,

à tel point que l'idée d'opérer le tri définitif, d'éliminer tout le négatif, de filtrer seulement le plaisir, le positif, d'extraire ainsi la pâte heureuse nommée bonheur, garantie sans chagrin, cent pour cent euphorique,

cette idée est la pire bêtise, le plus triste des malheurs garantis, l'increvable vieille infamie de tous les arnaqueurs, escrocs crétins et imbéciles dangereux

tout bonnement parce que le filtrage n'existe pas, la séparation est impossible, totalement, entre lot des plaisirs et lot des déplaisirs, part des joies et des malheurs,

la vie n'est qu'un lot unique, un seul battement multiple, où il y a toujours de tout, en proportion
variable,
mais jamais, jamais, le voudrait-on, une seule couleur du monde, ni malheur intégral ni bonheur
absolu
c'est pourquoi dire « oui » à la vie, l'aimer, l'accepter,
la désirer, l'endurer, l'expérimenter réellement, c'est
forcément dire « oui » à ce tout, oui à l'ordure, à la
fange, à la crainte, à la tristesse, à l'horreur, comme
à la beauté, la tendresse, la jouissance, le calme, la
sérénité, l'entraide, parce qu'il n'y a pas de moyen
de les séparer de manière définitive et radicale, à
aucun moment ni en aucun lieu,
bien sûr, on peut toujours s'efforcer de différer le
pire, écarter le malheur, protéger sa vie et celle des
siens, on peut cloisonner, segmenter, séparer, faire des
tris, escamoter les cauchemars dans les tiroirs, mettre
les sourires en vitrine,
ça ne dure qu'un moment,
nécessairement la mixture revient,
tout se remêle et s'entremêle,
extases et chagrins, enthousiasme et affliction, agita-
tion et tranquillité,
non pas que toute idée de bonheur soit vaine, que
rien ne soit en notre pouvoir,

pas question de faire l'éloge de la souffrance, d'aimer le malheur, de trouver désirables humiliations, maladies, tristesses,

il est indispensable de les combattre, comme d'ailleurs tout ce qui est négatif, amoindrissant, mortifère,

et ce combat peut effectivement accomplir de grands exploits, il peut faire reculer réellement la masse des souffrances, amoindrir durablement le malheur, en un sens améliorer le monde, à tout le moins l'existence de certains, et cette lutte vaut toujours d'être accomplie, indéfectiblement, continûment, tâche indispensable et urgente, de celles qui tiennent éveillé, font qu'on se relève la nuit, hébété de fatigue, si encore il faut agir,

mais l'illusion suprême demeure de croire que pareil combat puisse aboutir un jour à éradiquer la souffrance à jamais, à construire le monde du bonheur enfin parfait, sans accroc, sans tache,

ce qui est absurde et faux, totalement, car le fait qu'on puisse et doive diminuer des souffrances, faire reculer des maux, alléger des misères ne signifie en rien qu'on puisse ou doive en finir, définitivement, intégralement, avec la face sombre de la vie, ce qui n'est qu'illusion, commune mais absurde

pourquoi est-ce ainsi ?, pourquoi donc la plus répandue des erreurs est-elle aujourd'hui de s'imaginer pos-

26

sible un bonheur complet, sans mélange, absolu et parfait ?
parce qu'à tort on croit possible d'unifier l'existence,
de transformer le multiple en unité,
parce qu'on ne voit que d'un côté, d'un œil,
parce qu'on se croit soi-même uni, unitaire, monobloc,
ce n'est pas le cas

★

c'est même une des plus curieuses bévues des philosophes, chez eux *l'erreur est de croire que nous sommes unifiés,*
ils entretiennent la conviction obstinée que nous sommes homogènes, monochromes, habités constamment d'une seule pensée, d'une intention unique, d'un raisonnement qui ne laisse aucune place à d'autres idées, simultanées, d'autres sensations, d'autres projets, d'autres pensées qui se juxtaposeraient, se chevaucheraient
les philosophes se représentent la conscience comme une atmosphère pure, un gaz rare, où ne se déroule nécessairement qu'une action à la fois
à les entendre, l'individu serait un, son esprit également, dès que la pensée devient syncopée, brisée, discontinue, creusée de failles, guetteraient la bêtise, l'erreur, la folie

si je n'avais plus qu'une heure à vivre, je voudrais clamer que cette vue étrange me semble fausse, pitoyable et perverse

car rien, absolument rien, de notre vie réelle, même durant une seconde, ne correspond à cette unité imaginaire

par exemple

en ce moment j'écris, je pense à ce que je veux dire, mais je vois aussi la plume tracer les lettres sur ma feuille, j'entends siffler un oiseau dans un arbre voisin, j'ai un peu mal à une ampoule au pied droit, des restes de courbatures dans les mollets, j'écoute un quatuor de Beethoven, le 7e, je crois, mais je n'en suis pas certain, je sens le tissu de la chaise, le rebord de la table, une odeur de cuisine monte d'un étage en dessous et je me demande, tout en écrivant, en sentant mes jambes, en entendant l'oiseau, si c'est bien de l'oignon frit, quel plat peut bien sentir ainsi, qui le prépare, sans perdre le fil de ce que je veux dire

rien de tout cela, très banal, extrêmement simple, ne m'empêche de penser en même temps

que je préférerais être ce soir dans notre lit, plutôt que mort,

que j'aimerais mieux être auprès d'elle tout de suite que de rester à cette table, m'échiner à ce texte, que cette musique ne sonne pas comme dans mon souvenir, j'avais sans doute en tête une autre interprétation, il faudrait que je vérifie, la mémoire est truffée de pièges

que je ne sais pas pourquoi les oiseaux chantent, à quoi ça correspond, ce que ça veut dire,

que je commence à avoir faim,

qu'il est étrange que cette table ait traversé tant de décennies et plus encore de penser qu'elle sera encore là quand je n'y serai plus,

que je viens de constater – toujours en même temps – combien les signes que je trace, vus de loin, pourraient avoir une tête de hiéroglyphes,

que les hiéroglyphes, j'y songe illico, n'ont pas de tête, etc., même si etc.,

bien que etc.

jamais, je crois, je n'ai vécu une seconde où ne se soit trouvé, dans ma conscience, qu'une seule idée, un seul état, une seule préoccupation

plutôt un permanent capharnaüm, où s'entrecroisent, se superposent, parfois se télescopent une multitude de sensations, de pensées, de désirs, d'associations, de réminiscences, de projets, de rapprochements

c'est normal, banal et incessant, mais les philosophes, visiblement, s'en foutent, rien à cirer, ils ont inventé l'esprit épuré, bien conduit, capable de ne s'occuper que d'une chose à la fois, une idée, une sensation, l'une après l'autre, indéfiniment

que pareille conscience rectifiée n'entretienne que de très lointains rapports avec le flux disparate et permanent qui nous traverse ne semble déranger personne

étrangement, les meilleurs esprits n'ont pas l'air, quand ils se penchent sur la pensée, de se souvenir de ce qu'ils vivent

et que vivent, d'ailleurs, tous les êtres pensants humains depuis toujours – chevauchements, entrelacs, empiétements, emboîtements, intrications d'innombrables éléments hétérogènes, disparates, tournoyants, versatiles, simultanés

multiples, distincts, étagés, feuilletés, voilà comme nous sommes, et non pas un, rassemblés, homogènes et constants

peu de penseurs ont signalé ce flux multiforme de la conscience, cet émiettement mobile du sujet,

aucun, en Occident, à ma connaissance, ne l'a suffisamment pris en compte pour en faire le thème central de sa pensée, sauf Montaigne, évidemment

sauf Nietzsche, il est vrai, qui peut se lire ainsi, si l'on y tient

ce qui m'importe est ce qu'entraîne ce constat de notre existence comme flux multiple le constat, en lui-même, n'a rien d'extraordinaire : tout le monde sait bien qu'il en est ainsi, bien que personne ou presque ne s'y intéresse

ce qui importe, derechef, ce sont les questions qui s'ensuivent,

par exemple : si c'est évident, pourquoi les philosophes n'en disent-ils rien, ou si peu ? pourquoi inventent-ils, à la place de ce flux multiple, tressant pleins et déliés, brisures et continuités, le mythe d'une raison qui ne fait que raisonner, d'une conscience monotâche, dépourvue de parasites, d'à-coups, de diversité ?

et encore : s'il est vrai que nous ne sommes pas un mais plusieurs — étagés, multiples —, faits de strates et de clignotements, de mélanges et de scintillements qui se chevauchent, comment expliquer que nous sommes aussi, malgré tout, plus ou moins des unités ?

s'il est évident que toujours je pense, sens, ressens, projette, mémorise, retrouve, éprouve et combine quantité de données à la fois, sur des registres différents, avec des cohérences et des incohérences, des répétitions et des innovations, des ruptures et des écarts, il est non moins évident que je suis, que nous sommes tous, en un certain sens, unifiés

jamais, sauf grand délire, pathologie, dysfonctionnement, nous ne confondons nos souvenirs avec ceux des autres, ce qui nous est arrivé avec ce qu'on nous a raconté, ce qui advient et ce que nous rêvons

chacune de ces distinctions, et quelques autres de même acabit, suppose une forme de continuité, d'unification, de cohérence des flux,

il faut donc, de toute évidence, leur accorder autant de convergence interne que de diversité tournoyante

je pense à cette question, juste à ce moment, parce que, si je n'avais plus qu'une heure à vivre, ce point serait important

qui meurt, en effet ? la multiplicité ? certains seulement de ses éléments, de ses registres, de ses regroupements ? la cohésion qui les fait tenir ?

dès qu'on cesse de penser l'individu comme un, le sujet comme bloc, mais plutôt comme un essaim, un nuage, un tourbillon, la question se pose

au lieu de croire que tout survit pour toujours ou s'anéantit à jamais, on doit se demander quels fragments disparaissent ou perdurent, quels agencements se défont et quelles structures tiennent

alors ?

je n'en sais rien

et nul ne sait

je ne crois pas que ce soit connaissable

nous ferions mieux de laisser tomber
et pas seulement cette question
mais quantité d'autres

*

mieux vaut *en finir avec l'obsession de tout comprendre*,
le désir permanent de savoir, la croyance qui nous
persuade que si nous savions, un peu plus, un peu
mieux, nécessairement nous serions plus libres, plus
heureux, meilleurs maîtres de nous-mêmes comme
de l'univers,
voilà une conviction embarrassante dont il serait utile
de se défaire,
car le savoir comme le bonheur est forcément toujours incomplet, impur, incrusté d'ignorances, plein
de lacunes, de trous, de blancs, parce que nous ne
saurons jamais tout,
par nature nous sommes ignares, grandement ignares,
condition qui n'est pas nécessairement désespérante
ni dramatique
pour le constater il faut une métamorphose mentale,
car nous ne sommes pas éduqués à cette endurance
et cette acceptation,
au contraire, notre culture déteste l'ignorance, la
suspecte de tous les maux, la croit maléfique et mena-
çante, à tel point que, quand la connaissance est

inaccessible, hors de portée, nous bouchons les trous au moyen de croyances, nous remplaçons, dès que possible, ce que nous ne savons pas par des récits, des bribes de désirs transformés en réalités

ainsi je ne sais pas ce qui se tient après la mort, pas plus que personne au monde, aucun humain ne le sait de science sûre, d'un savoir fermement établi, et donc nous croyons, pour certains dur comme fer, qu'il existe une immortalité des personnes et qu'elle va nous permettre de retrouver nos proches dans un autre monde,

ou bien nous croyons au contraire, et toujours dur comme fer, que nous disparaissons à jamais, le néant éternel étant notre lot,

en admettant qu'il soit impossible de cesser de croire, tentons au moins de savoir que nous croyons, cessons de confondre croyance, connaissance, réalité...

et voilà que je donne des leçons, des conseils, que je me vois devenir sentencieux pompeux pesant, pourtant le temps presse, la contrainte de l'heure devrait me pousser à élaguer, alléger, discerner juste ce qui importe,

il fallait écarter le bonheur, il est trop tard pour rêver d'absolu, évacuer vite fait le savoir, parce que l'avenir s'amenuise et ne permet plus de fantasmer une science à construire que pourrais-je donc tenter, dans le temps qui reste ?

★

devrais-je *voir défiler ma vie*, comme les gens qui tombent du haut d'un toit, ou dans le fond d'un ravin ? âcreté du feu de bois le soir à la campagne, joues rougies des braises, jeux du crépuscule, heure du diable, limaces recroquevillées au contact d'un brin d'herbe, peuple de femmes, matriarcat en poupées russes parlant créole, *ka ou vlé mouin di ou, mouin pa sav sa sa ié, tou sa mové butin*, soyeux féerique de vulve suédoise, cris des jouissances anonymes, cloche de bibliothèque monacale, ventrées de viandes, de feuilletés, de fromages, de vins, langueurs, asthénic, convalescence, cartons, camions, déménagements, errances, ennui et fadeur, terre noire sous les ongles, doigts craquelés, saveur des havanes
à quoi bon cette longue théorie d'affolements et de plages sereines, cette succession de bribes éphémères, ce kaléidoscope intime ?
s'il ne me restait plus qu'une heure, je ne céderais pas à la tentation de la nostalgie, du retour en arrière, de la célébration des madeleines,
il arrive malgré tout qu'un moment émerge et submerge,

ce jour où à treize ans j'ai failli mourir, où j'ai su
que j'avais quarante-huit heures d'incertitude, dans
peu de temps peut-être ma courte existence serait
terminée, j'en suis sorti soulagé, pas mécontent, mais
avec ce sentiment, qui ne m'a plus jamais quitté, que
tout ce qui venait ensuite était en plus, aurait pu ne
pas être, se trouvait offert par hasard, par surcroît,
excédent, supplément, addendum
si je rembobinais ce film, si de nouveau, et cette
fois pour de bon, j'approchais du bout, sans bonus,
sans rab, je ferais la seule chose que j'ai su faire à
peu près,
j'écrirais
une heure à peine
mais libre, autant que faire se peut
sans que qui ce soit me demande si c'est philosophie
ou autre chose, poésie ou genre différent

★

je voudrais juste écrire,
allons, j'ai bien le droit de rêver, comme le Bird jouait
du saxophone au *Showcase*, comme Coltrane, Rollins
ou Coleman les meilleurs jours, tantôt Getz, tantôt
Giuffre, je me demande si Nietzsche aurait aimé le
jazz, j'ai la faiblesse de le croire, un homme qui a
su quitter Wagner, chanter Bizet, un lecteur de Sterne

et de Diderot devrait aimer le jazz, en tout cas c'est
comme ça que je rêverais que ce fût,
si je n'avais plus qu'une heure à vivre, j'écrirais
comme Dolphy, Shorter et quelques autres, question
de syncope, de souffle, de brisure de rythme, j'aimerais penser comme ils improvisent, faire des phrases
comme ils hurlent des notes, envoyer des idées comme
ils déchirent le silence
à chacun ses illusions, ses petits rêves, ses paniers de
basket et ses essais manqués,
ou parfois dans le mille, rarement,
sans qu'on sache pourquoi ni même ce qu'est le mille,
au juste,
question d'ajustement, de pertinence et de hasard, de
tessiture, de dixième de seconde, d'oreille, de coup
d'œil, de doigté, de laisser-aller et de maîtrise, indo-
sables et intuitifs,
reste à savoir pourquoi l'écriture, et pas n'importe
quoi d'autre, découvrir le base-ball, apprendre à jouer
de la lyre, juste pour avoir idée de la première leçon,
se promener une dernière fois, regarder fixement un
brin d'herbe, façon zen,
tout ça serait possible
et la liste des autres éventualités serait plus encore,
par définition interminable
si l'écriture s'impose, il faudrait dire pourquoi,

je ne cherche pas à me justifier, mais à entrevoir les causes, je crois que j'ai la réponse

si je n'avais plus qu'une heure à vivre je choisirais l'écriture comme ruse contre la mort,

piètre ruse, limitée, infime, presque infirme, pitoyable peut-être, en son genre,

mais loin d'être inefficace ou tout à fait impuissante

sans doute ne l'avais-je jamais compris aussi clairement,

s'il se trouvait que dans moins d'une heure j'eusse effectivement disparu de ce monde, malgré tout, les mots que je suis en train de tracer perdureraient

je serais devenu définitivement inerte, incapable de la moindre trace, d'émettre la moindre pensée, de transmettre la moindre sensation, dépourvu de toute manifestation visible, de toute intervention dans le monde,

pourtant ces phrases que je suis en train de composer demeureraient, resteraient là, à disposition de lecteurs, un jour peut-être, dans quelque temps, voire dans des siècles, ils pourraient s'en emparer, hausser les épaules, en rire ou en pleurer

il y a là quelque chose de très étrange, d'infiniment curieux,

cela ne signifie pas que la mort soit vaincue, mais qu'elle est contournée, partiellement déjouée par la ruse de l'écriture dans la vieille métaphore de Rabelais, les « paroles gelées », les mots soudain se trouvent figés, hors du temps, pris dans une sorte de glace, sortis du flux temporel

comme si, d'un seul coup, le présent était pérennisé, soustrait à la corrosion,

ce que j'écris à l'instant sera pour moi déjà passé le moment suivant, mais je pourrai y revenir,

sauf si dans moins d'une heure...

mais cela restera possible, pour d'autres, demain, dans un an, un siècle ou un millénaire

quelqu'un pourra tomber sur ce moment singulier, cet instant épinglé sur la page ou happé dans l'écran,

l'écriture est une affaire de singularités,

elle est indifférente à ce qu'elle conserve

il serait idiot de penser qu'elle ait le moindre souci de conserver de nobles propos, de ne consigner que ce qui vaudrait de l'être,

peu lui importent les grandes œuvres et les méditations sublimes,

l'écriture conserve n'importe quoi, graffitis, obscénités, notes de blanchisseuse, archives impériales, décomptes de troupeaux,

c'est aussi, peut-être surtout, ce qui m'intéresse dans cette énigme, le fait que l'écriture conserve la poussière des instants, éternise les microfibres du temps, sans doute pas définitivement, mais elle soustrait longuement un microfait à la décrépitude, la corruption, le vieillissement, à tout ce qui transforme et métamorphose

nous possédons encore ce qu'a inscrit un jour, sur le mur d'un bordel d'Égypte, un soldat de l'Antiquité, un jour, sans doute une nuit,

nous ne savons rien de ce soldat, ni de la fille qu'il a payée, ni du contexte ni de l'instant,

mais nous connaissons malgré les siècles sa remarque obscène,

de même sont transmis inepties des bagnards, prières de petites gens, comptes d'apothicaires, formules magiques, hauts faits perdus, listes de courses, incantations, prescriptions, bêtises intimes, décrets publics…

chaque fois, l'écriture permet la pérennisation des singularités, rend quasi éternels des instants destinés à périr, même s'ils ne possèdent guère de mérites, n'ont rien qui les distingue,

l'écriture fonctionne obstinément, indifféremment, en tant que piège à moments, comme en peinture un siccatif,

elle sèche la substance d'un instant,

pourtant on ne peut dire qu'elle viendrait scotcher le temps,

ce n'est pas le temps qui se trouve immobilisé,
il continue, se poursuit, son flux ne s'arrête jamais,
par l'écriture, une bribe d'acte, un éclat de la vie,
un geste se trouvent cristallisés
rien que des singularités,
rien de général ne peut s'écrire,
rien de général d'ailleurs ne survit,
il n'y a que les singularités qui ne meurent pas,
voilà ce que je veux : graver de l'instant, des grains
de sens,
tenter de transmettre une poignée de poussières,
temporairement figées, que remettra en mouvement
à sa manière chaque œil qui peut-être se posera sur
elles, bien plus tard, bien après, sans que j'en sache
rien

★

pourquoi transmettre ?
la question ne se pose pas vraiment,
vivre et mourir équivaut à transmettre, comme font
les milliers et les milliers d'espèces, végétales ou ani-
males, partageant avec nous l'existence, toutes relient
disparition et transmission,
aucun individu ne se dissout sans avoir assuré une
continuité, transmis quelque poussière de spores, pol-
lens, graines, œufs...

dispersés à tous vents ou déposés en lieu sûr, ces atomes
attestent qu'on ne disparaît pas sans avoir légué,
pour pratiquement toutes les espèces, ce n'est qu'une
affaire d'ADN
pour nous, qui vivons aussi par les mots, les représen-
tations, les signes et les pensées, il est inévitable que
la mort exige l'écriture et la transmission d'idées,
pour cela nous avons forgé éducations, coutumes, lois,
quantité de règles et de normes, de bagages, d'exer-
cices, d'apprentissages,
il n'est pas vrai que notre héritage n'est précédé
d'aucun testament, comme le proclame René Char,
le problème est inverse : il y a pléthore de testaments,
cacophonie, pandémonium, infiniment trop de direc-
tives, de patrimoines, de guides, de tables
pourquoi devrais-je ajouter un vade-mecum de plus ?
par orgueil, par sincérité, ou les deux, et si bien mêlés
que je ne sais les distinguer ?
la nécessité que j'éprouve se dit autrement
j'ai fini par m'imaginer que nous vivons à la surface
d'une bulle
elle paraît consistante, solide, inébranlable et ferme,
lumineuse et irisée, jusqu'à ce qu'elle éclate, et d'un
coup s'évanouisse,

en le sachant, nous pouvons vivre sur la bulle, plei-
nement, nous entraîner autant que possible à quelque
sérénité envers son futur éclatement,

tant qu'elle tient, en effet, la bulle semble parfaite en
son genre, dense et colorée, si présente et consistante
qu'il paraît inconcevable qu'elle puisse jamais s'éva-
nouir d'un coup,

savoir qu'elle est précaire, infiniment mince et
diaphane, ne change rien à son éclat,

ainsi va l'impensable frontière entre vie et mort, à la
fois omniprésente et indiscernable, infranchissable et
traversée en une seconde, sans doute simplissime mais
impossible à clairement concevoir

maintenant que je me suis persuadé que la bulle va
exploser dans un délai fixé, très bref, inéluctable, il
va falloir que cette pensée me reste toujours proche
sans jamais pour autant me glacer,

je ne crois guère à l'héroïsme autoproclamé, mais
je tente de ressembler, tant que je peux, à l'image
de qui parvient à tenir la mort en lisière, ne claque
pas des dents, sait que l'issue est certaine et proche
mais continue à parler, à rêver d'avoir le dernier
mot,

qui veut, avant le silence, encore proférer quelques
phrases, avant que la bulle éclate et que tout s'arrête,
entretenant cette brave conviction : jamais la mort

n'est l'essentiel, elle peut y conduire ou y ramener, mais elle n'y figure pas, encore faut-il, pour comprendre que la mort ne figure pas dans ce qui compte, l'y avoir intégrée, et s'être construit, ou reconstruit, une allégresse

plus le temps avance, plus je vois s'enchevêtrer les paradoxes : penser à la mort qui est impensable, me convaincre du néant sans sombrer dans le nihilisme, transmettre sans pourtant prétendre connaître, avancer dans cet entrelacs sans m'empêtrer dans ces contradictions

*

une conviction me tient la tête hors de l'eau : *nous ne savons pas grand-chose*, il en sera toujours ainsi et en fin de compte ce n'est pas très grave

curieux propos, au premier regard, quand on songe aux connaissances vertigineuses acquises par l'humanité, accumulées au fil des millénaires, démultipliées fantastiquement ces dernières décennies,

il semble que nous ayons pratiquement tout scruté, tout classé, tout mesuré, du plancton aux trous noirs, des gènes aux volcans, des quarks aux steppes de Mars, des koalas aux enzymes,

nous avons de quoi répondre à toutes les questions, tous les appétits, alimenter toutes les bases de données, prêtes à satisfaire le désir de savoir de chacun, désir ancré en tout humain, indépendamment de sa société, sa culture, son éducation, désir si puissant que vivre est inévitablement synonyme d'apprendre, de découvrir tous les « parce que » possibles, kyrielles de connaissances pratiques, théoriques, scientifiques, morales, artistiques élaborées à propos de la nature et des relations que les humains entretiennent les uns avec les autres

comment dans ces conditions affirmer que nous ne savons pas grand-chose ?

et de plus que ce n'est pas grave ?

parce qu'en tout savoir existe nécessairement une limite, un au-delà, que nous ne savons pas, ce qui peut paraître insupportable : pourquoi la connaissance serait-elle définitivement bornée ?

notre civilisation se berce d'une fable : cette limite est temporaire

nous ignorons ceci ou cela ? attendons un peu, injectons des crédits, organisons les dons, bientôt les chercheurs sauront !

il est vrai que, dans de nombreux cas, la prévision se vérifie,

plus tard qu'on ne le croyait, parfois, un peu moins bien qu'on ne l'espérait, souvent,

mais, indiscutablement, des énigmes d'aujourd'hui auront disparu demain ce qui n'empêche pas que jamais la science ne sera achevée,

personne ne fermera un beau matin les laboratoires en criant : « dorénavant, nous savons ! Mesdames, messieurs, la science est close, nous avions entamé nos recherches il y a fort longtemps, mais nous sommes arrivés au bout, la totalité de ce qui était à connaître l'est désormais, la tâche est terminée »

ce qui fait qu'en aucun cas la connaissance ne peut être achevée tient aux limites de nos savoirs,

Kant les distingue des bornes,

les bornes sont mobiles, se déplacent constamment,

il existe bien des domaines où ce que nous ne savons pas aujourd'hui le sera mieux demain, peut-être entièrement après-demain,

mais ceci ne vaut, chaque fois, que pour des problèmes délimités

indépendamment de ces bornes, reculant de génération en génération ou d'année en année, existent des limites, frontières infranchissables, au-delà desquelles nos connaissances en aucun cas ne peuvent aller

par exemple : ce qui se passe après notre mort, nous n'en savons rien et, quelles que soient nos tentatives, il demeurera impossible que nous en sachions jamais quoi que ce soit

nous ne saurons jamais tout pour une autre raison,
plus forte encore

à mesure que nos connaissances s'accroissent, notre
ignorance, elle aussi, augmente,

nous ignorons plus au fur et à mesure que nous
connaissons plus,

qui sait peu ignore aussi très peu

seul un regard extérieur à l'ignorant, le regard de celui
qui en sait beaucoup, juge les lacunes du débutant
plus grandes que ses acquis,

le débutant, lui, ignore qu'il ignore à ce point,

il est fier de ses premiers succès, bien plus qu'il n'est
conscient de l'étendue de ce qu'il ne sait pas,

dès qu'il progresse, en revanche, dès que s'accroît ce
qu'il sait, il commence à saisir tout ce qui manque
encore à son savoir

une part d'ignorance demeure donc notre lot, indéfiniment, sans recours, de manière insuppressible

je crois nécessaire, contre l'obsession universelle des
expertises et des compétences, de faire l'éloge de
l'ignorance,

quitte à assumer un paradoxe de plus,

d'autant que les relations de la philosophie à l'ignorance ont toujours été ambiguës

tout le monde s'accorde à dire que le désir de
savoir fonde la philosophie, laquelle proclame que

les connaissances vraies sont bonnes et donc désirables,
il convient de les rechercher avant toute autre chose,
plaisirs, pouvoirs, agréments, réussite,
on oublie la condition première : le savoir est désirable seulement pour celui qui a pris conscience de
son ignorance, veut la supprimer, à tout le moins la
réduire,
ce qui suppose, chez les philosophes, une première
attirance-répulsion pour l'ignorance, une forme singulière d'amitié haineuse pour le non-savoir
ce lien originaire, obscur et enfoui, est si puissant
que la philosophie pourrait bien être fille de l'ignorance avant d'être amante du savoir,
Socrate l'avait bien vu, quand il proclamait que tout
ce qu'il savait était qu'il ne savait rien, faisant de son
ignorance pierre de touche, vertu, première marche
de tout savoir
encore un pas
l'ignorance n'est pas simplement un point de départ,
oublié ensuite allègrement,
ce n'est pas non plus une affaire ancienne, circonscrite
à l'Antiquité, aux premiers penseurs,
tout au long de l'histoire de la philosophie, une place
décisive a été réservée à l'ignorance,
on la recherche encore à présent, méthodiquement,

ce qui attire, ce sont encore et toujours les limites de nos pensées, les au-delà de nos concepts, le noyau inaperçu de nos réflexions, le blanc qui échappe aux analyses

dans l'inflation actuelle des savoirs, dans l'infinie multiplication des connaissances, contre l'arrogance omniprésente des « sachants », il s'agit de rappeler clairement que des limites existent à nos savoirs,

il conviendrait donc de définir les philosophes comme les « gardiens de l'ignorance »,

ce qui ne signifie évidemment pas qu'ils privilégient l'obscurantisme, même s'il existe des extrémistes, des mystiques de la « docte ignorance », qui finissent par juger négatives et trompeuses les connaissances elles-mêmes,

voyez le rude Antisthène, chez les Grecs, qui expliquait que le sage ne doit même pas apprendre à lire, ou bien les moines zen, préférant le silence à la parole, le coup de bâton au savant discours,

plus simplement, sans remplacer le savoir par le vide, sans faire l'éloge de la stupidité, il est utile de combattre l'arrogance des je-sais-tout, leur *mégalosophie*, leur hypertrophie cognitive, en ramenant l'horizon dans les limites de notre humaine insuffisance

Montaigne savait pertinemment, et Sextus Empiricus dans l'Antiquité, ainsi que tous les philosophes nommés sceptiques ou pyrrhoniens, du grec Pyrrhon jusqu'à Michel Foucault en passant par David Hume et bien d'autres,

tous choisissent d'endurer l'ignorance, soulignant que la vérité, dans la plupart des domaines, nous demeure inaccessible, constitutivement, et qu'il n'y a rien là qui doive être prétexte à désespérance

je me situe dans cette lignée, celle des gens qui doutent, vivent avec cette conscience que l'ignorance est l'horizon de notre condition,

c'est pourquoi, si je n'avais plus qu'une heure à vivre, j'éviterais la nostalgie de ce que je ne sais pas, que j'aurais pu connaître, goûter et découvrir, qui maintenant va se dérober, inéluctablement, à mon expérience,

car je suis convaincu qu'ignorer n'est pas un mal, point de rupture avec l'immense majorité des philosophes, qui chérissent l'ignorance pour la quitter, pour rejoindre le savoir et accoster enfin au rivage de la vérité,

ils oublient que la vérité se dérobe, n'est qu'un mirage, un inutile tourment, une histoire forgée pour ne pas dormir tranquille,

mieux vaut se dire qu'il n'est aucun rivage, seulement une navigation sans fin,

nous n'avons que d'infimes moyens de savoir ce qui est vrai — localement, dans des domaines délimités —

aucun moyen de savoir ce qui est vrai dans l'absolu,
ni même de déterminer si « vrai dans l'absolu » a un sens ou non, et si oui sous quelles conditions,
la vérité dernière, ultime et intégrale, si elle existe, nous est radicalement inaccessible,
même si notre durée de vie était multipliée par dix, par cent, par mille, si notre intelligence et notre mémoire étaient accrues dans des proportions analogues, cela ne changerait rien aux conditions de base,
il ne s'agit pas d'une question de temps, de capacité et de quantité de données
la seule issue est de renoncer à cette ambition de connaître « la » vérité et d'éprouver la joie que cet abandon libère,
car cet adieu n'engendre aucune tristesse, pas le moindre accablement

*

larguer le savoir absolu, *c'est très joyeux*
s'ouvre le périple des surprises, des curiosités, des découvertes et des dépaysements sans fin
comment pense-t-on ici ? que croit-on là ? qu'a-t-on découvert sous ces cieux ? quel pouvoir règne derrière ces montagnes ? en chaque lieu, qui est vénéré

pour son savoir, considéré comme sage, réputé connaître tout ce qui doit l'être ?

à la limite, peu importe que ce soient des détenteurs de secrets réellement vénérables ou de pauvres débiles superstitieux, ce qui m'amuse et m'intéresse est qu'ils obligent à de nouvelles postures mentales, fassent goûter d'inédites saveurs d'idées, suscitent des balades sans fin, de découverte en découverte,

plutôt les aventures interminables des différences que le hiératisme immuable du vrai,

si je devais en vitesse dire l'essentiel, juste ce qui compte, l'utile, sans le gras, l'enrobage ni les sauces, je dirais de laisser tomber ce vieux désir d'accéder à la vérité

tant qu'il taraude et angoisse, il faut chercher, questionner, errer, quelle est la bonne réponse, la connaissance assurée, la règle à respecter ? qui vaut le mieux ? est-ce ici ou bien là ? encore ailleurs ? comment savoir ? comment être sûr ? comment cesser de douter, de tourbillonner, de chuter de soupçon en soupçon ?

il y a évidemment des cas où existent des réponses certaines, vérités de fait, certitudes logiques, démonstrations bien conduites,

mais ce ne sont que rocs isolés, entourés d'océans d'incertitude, vérités portant sur des points secondaires

sur ceux qui nous importent au plus profond, nous
sommes vite renvoyés à l'errance sans fin, à la dubi-
tation perpétuelle
au lieu de le vivre comme enfer et cauchemar, mieux
vaut parvenir à faire de cette incertitude radicale le
ressort inusable d'une joie vive,
ce n'est pas si compliqué,
il existe, à l'infini, des parcs à rêves, des châteaux
d'illusions des théâtres d'ombres, des manèges de
fantasmes,
sans vérité incontestable
mais il en existe tant, de ces parcs et manèges, et si
divers, que notre courte existence nous permet à
peine un début de découverte,
assez toutefois pour percevoir aussitôt que certains
plaisent, d'autres non,
certains déconcertent, d'autres ennuient, ravissent ou
glacent,
et chacun, ayant intégré que la vie n'est pas recherche
de la vérité, laquelle n'existe pas ou nous demeure
à jamais inaccessible, choisira de se promener d'une
doctrine à l'autre, interminablement,
comme on visite des contrées lointaines, goûte des
recettes exotiques, plonge dans des eaux nouvelles,
fini le pathos de l'ignorance, ses maléfices, ses ténèbres
menaçantes,

les grandes erreurs que nous commettons ne sont pas
toujours liées à son existence,

les savoirs nous font faire autant d'erreurs que l'ignorance,

nous ignorerons toujours le « fin mot », comme on dit
en français, de cette histoire où nous sommes embarqués,

il faut l'endurer, cette ignorance, conscients qu'elle
est en son fond irrémédiable,

même si, de toute évidence, il convient, au jour le
jour, de réduire nos lacunes, de ne refuser ni le progrès des sciences ni ceux des techniques

je vois l'heure tourner, le temps qui reste s'amenuiser,
et je choisis d'abord de léguer du doute ?

il fallait poser ce principe d'incertitude

pour les animaux que nous sommes, confrontés à des
énigmes qui leur demeurent insolubles,

assez intelligents pour comprendre l'existence des
questions, pas assez pour parvenir à les résoudre

l'outrecuidance des philosophes, du moins de la plupart, leur fait soutenir que la raison peut suffire à tout,
conduire la pensée au vrai comme gouverner l'existence, faire cesser les errances, éteindre les incendies
de tous les dérèglements,

ce qui n'est en fin de compte que folie de plus, car
la vérité elle aussi engendre des passions qui aveuglent
plus qu'elles n'éclairent

*

plutôt que d'adorer le vrai, les idées, l'abstraction, il
est bon *d'aimer les corps soyeux*, les êtres de chair et
de sang, pensants et parlants,
conseiller d'aimer serait absurde,
ce n'est pas du registre des préceptes, des avis à donner ou à recevoir,
l'impulsion en vient à chacun du dedans, comme la
nécessité de respirer, de se nourrir, de dormir,
avec cette singularité unique que ce dedans est déjà
un dehors,
l'amour délie chacun de lui-même, pour le lier à
l'autre, constitutivement,
il reste possible de respirer seul, de manger à l'écart,
de dormir sans personne
pas d'aimer
c'est toujours en soi et hors de soi, l'autre d'abord
l'amour est cette énigme qui inverse tout
c'est l'inverse du doute, de l'ignorance, de la raison
qui aime est dans l'évidence,
la vie donnée,
nul ne sait comment, nul ne sait par qui,
simplement posée là,
sans contraire, sans verso,
comme la seule façon de ne pas mourir,

aimer et vivre ne sont pas deux verbes distincts ni deux états du corps différents, juste une seule et même intensité d'existence

c'est pourquoi, de l'amour, les philosophes n'ont presque rien à dire d'intéressant,

ce savoir n'est pas pour eux,

il ne renferme rien à objecter ni à déconstruire,

pas d'argument, de présupposé ni de déduction,

juste de l'évidence,

plus forte que les mots, déraisonnable et violente jusque dans la tendresse,

les philosophes devraient laisser l'amour tranquille,

dans le fond, ils n'y comprennent pas grand-chose,

parce qu'il n'y a en lui, somptueusement, rien à comprendre !

c'est ce que constatent, depuis toujours, les poètes, les artistes et n'importe qui, sauf les théoriciens,

les théories concernant l'amour font rire, comme pétards mouillés, montgolfières qui tombent, miroirs déformants

la vieille formule de Lao Zi : « celui qui parle ne sait pas, celui qui sait ne parle pas » devrait s'appliquer aux propos qu'on tente de tenir sur l'amour plus que sur tout autre sujet,

l'amour fait parler, assurément, et de manière infinie, mais jamais de lui,

de lui, il n'y a quoi que ce soit à dire,
on ne sait réellement ni pourquoi on aime ni ce
qu'on fait au juste en aimant,
il vaut mieux ne pas le dire
« pourquoi tu m'aimes ? », la question vient forcément, un jour ou l'autre, pas facile de répliquer « fran-
chement, je n'en sais rien », réponse honnête, mais
déplaisante, peut-être même pas audible,
voilà une ignorance difficile à endurer, comment accepter de ne rien savoir de vrai sur ce qui nous étreint, nous
bouleverse, nous ravit le plus intensément ?
comment admettre que le plus décisif désir de notre
existence arrive par surprise, n'advienne jamais où on
l'attend, s'incruste en douce, se développe sans qu'on
y comprenne rien, parfois s'évanouisse sans crier
gare ? l'amour a sa vie propre, entièrement nôtre et
cependant étrangère, il fait songer, l'idée est banale
et curieuse, à un trouble contagieux, virus qui nous
modifie, « nous » et « pas nous » en même temps
le plus déconcertant, pour qui prétend vivre sous le
contrôle de la raison, et les philosophes n'ont-ils pas
tous rêvé de vivre ainsi ?, c'est que l'amour n'a déci-
dément rien à voir avec la raison, ni de près ni de loin,
incapable de calculer, inapte aux demi-mesures, aussi
profondément bête qu'il est sublime, il sent, rêve,
veut, imagine, projette, échafaude mais ne pense pas,

du moins au sens d'une activité de réflexion méthodiquement poursuivie,
il n'est fait que de polarités, différences de potentiel,
écarts entre des paradoxes,
on dirait qu'il n'a jamais vraiment de contenu,
d'essence, de nature propre et qu'il tire de là, justement, sa puissance infinie, celle d'un pur entre-deux,
un pur passage
c'est pourquoi, dans quantité de discours sur l'amour,
la haine se retrouve à l'œuvre,
l'amour aurait le tort de ne pas savoir ce qu'il fait,
de s'illusionner sur lui-même,
il serait pétri de contradictions,
éphémère, il se croirait éternel,
dépendant, il s'imaginerait autonome,
l'un te dira que ce corps que tu aimes est
aujourd'hui beau, désirable, lisse et lumineux, mais
demain, bientôt, même et autre, il sera flétri, ridé,
flasque, repoussant,
tu l'aimes, tu ne l'aimeras plus
un autre te dira qu'en surface ce corps aimé est éclatant,
attirant, désirable, tu te réjouis du parfum de sa peau,
de son grain, de sa teinte, sans avoir songé à ce qu'il
y a dessous, sang, viscères, humeurs, excréments,
tu n'aimes qu'une surface, un versant de l'apparence,
une pellicule

voici qu'arrive encore un briseur d'illusion, un troisième raisonneur qui va t'expliquer que tu n'y es pour rien, et l'autre non plus,

tu crois l'aimer pour son éclat unique, tu crois être incomparable dans son regard, ce n'est qu'une ruse de l'espèce pour se perpétuer, une affaire d'hormones, de gènes, de cycles de la nature, et celui qui sait peut ricaner, le sentiment n'est qu'une grande supercherie !

ces trois sarcastiques ne disent pas exactement la même chose, mais un dispositif leur est commun : dénoncer dans l'amour une illusion,

chaque fois, une partie de la réalité serait prise, à tort, pour sa totalité

selon le premier, tu vois le présent, mais tu oublies les outrages du temps, l'arrivée prochaine des lendemains qui déchantent,

le deuxième soutient que tu vois la surface mais oublies l'arrière-plan, la face cachée du corps, ses côtés dégoûtants, ses saletés masquées,

le troisième affirme que tu te crois libre et singulier, éprouvant une passion ne concernant que vous deux, mais que tu ignores la nature, les mécanismes de la vie, la puissance obscure qui agit en toi,

donc, dans ces trois cas, rectifier l'erreur reviendrait à replacer la partie dans le tout, le présent dans le fil des ans, la beauté de surface dans l'ensemble de l'organisme, l'histoire d'amour dans la survie de l'espèce,

comme s'il fallait, à tout prix, ne pas être dupe et, pour se détromper, regarder ailleurs, plus loin, de plus haut, d'un autre point de vue,

alors, enfin, l'amour-erreur se dissoudrait dans le savoir-vérité,

ces arguments et leurs semblables ne sont que foutaises, basses vengeances, ignobles bêtises

toute tentative de voir l'amour du dehors est vouée d'avance à l'échec,

en tout cas pour ceux qui l'éprouvent,

l'erreur de départ est de croire les amoureux non seulement accessibles aux argumentations, mais simplement capables de sortir une seconde de leur amour,

on peut bien observer un(e) amoureux(se) du dehors, sans rien partager de sa passion, s'étonner de son aveuglement, rire ou pleurer de sa bêtise, sa naïveté, sa candeur,

mais ce n'est possible, justement, qu'à l'unique condition de n'être pas à sa place, de ne rien éprouver de son amour,

en revanche, ce qui est impossible, absolument, est d'être à la fois dans un amour et en dehors, c'est tout aussi irréalisable que d'être à la fois dans une pièce et hors de cette pièce, dans sa tête et hors de sa tête

certes, on peut cesser d'éprouver, constater qu'il faut ranger au magasin des amours mortes celles qui étaient vivantes hier encore, et cela fait hurler, la nuit, parfois, ça tue, ou bien ça fait rire, en général, on finit par cicatriser,

mais le processus est interne, l'histoire arrive à l'amour du dedans, croissance ou déclin,

ce n'est jamais un événement venu du dehors, encore moins la conséquence d'une argumentation !

alors, si je n'avais plus qu'une heure à vivre, je crierais que l'amour est la seule chose au monde qui vaille, je hurlerais comme ce résistant avant que les balles nazies l'atteignent : « vive les seins des femmes ! », et je me moquerais de savoir que certains voient là folie, mirage, erreur

parce que l'égarement amoureux est notre seul ancrage, sans limite comme sans dehors,

seule force au milieu de nos multitudes d'erreurs

si tu aimes, vas-tu donc cesser à cause de quelques rides ? au contraire, les métamorphoses du corps de l'autre à la longue, t'émeuvent et t'attendrissent, elles ne sauraient te révulser, encore moins te faire cesser d'aimer !

le pseudo-argument du dégoût, lui, suppose d'étranges frontières,

j'aime tes yeux, mais pas ton appendice intestinal, je fonds en entendant ta voix, mais ton lobe pariétal me donne la nausée,

où va-t-on chercher ces limites absurdes ?

l'amour englobe tout, cérumen et excréments, rognures d'ongles, peaux mortes et cheveux, cervelet et pancréas,

toute restriction ici est absurde

l'amour ne fait jamais le tri, ignore les distinctions de la vie courante, « propre » ou « sale », « digne » ou « indigne », « riche » ou « pauvre »,

il existe pourtant des goûts et dégoûts, impulsions et répulsions, appétits et rejets,

il s'agit dans le fond d'un malentendu,

le corps désirant, celui qui fait l'amour, n'est pas le même que celui qui fait du sport ou du jardinage, ou que le médecin examine

le corps amoureux transfiguré, glorieux, se vit immortel, diaphane, tout-puissant, entièrement mystique et entièrement charnel, si loin du corps organique qu'il lui est incommensurable,

qui éprouve et reconnaît combien ce corps amoureux est infiniment différent du corps organique n'entend plus aucun des arguments sarcastiques,

la vieille femme flétrie ne dit rien contre la jeune
fille glorieuse,
les excréments n'ont aucun pouvoir sur la beauté,
les ruses de l'espèce ne vont pas à l'encontre de la
passion des amants,
ce n'est pas du même ordre,
ce sont des univers radicalement différents, totalement
distincts et disjoints,
ils ne se recoupent nulle part

*

encore faut-il vivre *sans oublier la haine*
s'il n'y avait que l'amour, peut-être le monde serait-
il plus simple
quoique...
mais ce ne serait évidemment pas le monde que nous
connaissons, seul réel, où se tient aussi, profondément,
la haine, sous mille visages
la volonté de détruire,
goût obstiné du déchirement,
insatiable propension à la désagrégation
désunissant le monde depuis que fut un monde
le vieil Empédocle avait raison de faire de l'amour
et de la haine les deux forces antagonistes du cosmos :
l'une travaille à l'unité, rapproche, relie, rassemble,
agrège, attirant l'un à l'autre éléments et êtres éloignés,

puissance qui soude,
l'autre qui éloigne, délie, défait, désorganise,
puissance qui sépare, éloigne et disperse
entre les deux forces, le conflit est sans fin,
de leur combat éternel proviennent les transforma-
tions du monde, naissances et morts, paix et guerres,
à cette antique intuition, Freud donne une dimension
nouvelle, en faisant d'Éros et de Thanatos (Amour
et Mort), les puissances en lutte dans l'économie de
notre psychisme comme dans l'histoire de la civilisation, faites l'une comme l'autre de processus de coa-
lition et de dissociation
la grande erreur est de croire pouvoir se débarrasser
à jamais de la haine, ou simplement de la vilipender,
de la dire mauvaise en toutes circonstances
force est d'admettre qu'existent des joies de la haine
comme il y a des joies de l'amour,
les jouissances de la destruction font partie, elles aussi,
de nos fibres, habitent notre être le plus intime,
nous aurions grand tort de ne pas le reconnaître,
mauvais précepte, celui qui prescrit de faire l'impasse
sur le plaisir que nous éprouvons à détruire,
William Hazlitt, l'un de mes Anglais préférés, note
dans *Le Plaisir de haïr* : « on prend un plaisir pervers
mais bienheureux à être méchant, car c'est une source
de satisfaction qui ne s'épuise jamais »

sans escamoter cette satisfaction, en soulignant même que la haine est un extraordinaire moteur d'action, une fantastique machine incitative, qu'il ne faut en rien sous-estimer ni disqualifier, la bonne question est de savoir comment accepter la haine, voire l'utiliser, sans pour autant la laisser dominer, et tout détruire, je n'irais pas jusqu'à penser, comme Hazlitt, cette fois proche de Freud, que « le plus grand bien possible pour chaque individu consiste à faire tout le mal qu'il peut à son prochain », mais je crois utile de proclamer des vilenies de ce genre, car elles portent à s'aviser du contraire,

une affirmation excessive et sidérante incite à prendre son contre-pied,

affirme-t-on que la vie est haïssable, le malheur général, la sincérité introuvable, la confiance impossible...

l'envie de rire devient grande

nul ne croit à ce flot de ténèbres, mais il a le mérite d'attirer l'attention sur les éclats lumineux,

grâce au noir, tout s'éclaire !

négativez !, il en sortira toujours quelque allégresse...

il n'existe en effet aucun moyen de rester indéfiniment sur un versant ou sur l'autre,

qu'il s'agisse de l'amour et de la haine, du clair et de l'obscur, du plaisir et de la douleur, sans compter d'autres couples fondamentaux, parce que toujours et partout *les opposés sont présents ensemble*

Héraclite, vieux philosophe grec, le disait à sa manière : « la route qui monte et qui descend est une et la même »,

quand tu montes la pente, il te faut grimper, mais pour celui qui chemine en sens inverse, ou pour toi-même quand tu repasseras au retour, le même chemin descend,

il n'y a évidemment qu'une route, qui relève de deux jugements opposés, ancrés tous deux dans le réel

il ne faut pas se contenter de croire qu'existe une réalité, hors de nous, vue tantôt sombre et tantôt claire, par le pessimiste ou l'optimiste, comme si ces deux versants ne dépendaient que de nos regards et de nos humeurs

l'unique route à la fois monte et descend,

ce ne sont pas nos façons de voir qui divergent,

dans la réalité même existent deux faces, deux versants, deux côtés,

il est donc indispensable de s'exercer à voir toujours double

★

cultiver un regard attentif aux opposés, aux contrastes, à la tension permanente du monde, penser continûment que ce que nous voyons « plein » peut se voir « vide », ce que nous jugeons « bien » peut être jugé « mal », que plaisir et douleur s'entrelacent, comme richesse et pauvreté, courage et lâcheté, amour et haine,

jamais ces opposés n'habitent des contrées étrangères

qui est bon, courageux, joyeux et clair se trouve aussi, quand on descend la route, mauvais, lâche, triste et sombre

cette vue double, il faut la cultiver pour avoir de la vie et du monde une vision exacte, en relief,

mais cette manière de penser n'est pas spontanée

au contraire, la tendance à ne voir qu'une face des choses, à ne considérer qu'un côté du monde d'abord domine,

celui-ci voit « tout en noir », son voisin « tout en rose », les uns se disent saturés de haine, de tristesse, de désespoir, d'autres prétendent ne nager que dans la joie et le bonheur

rares ceux qui tiennent ensemble, constamment, les deux versants,

pourtant, rien de plus trompeur que les vues univoques, rien de plus étourdi que de dire « cela est bien, donc il n'y a pas d'ombre », « ceci est mal, donc il n'y a pas de lumière », le monde ne va pas ainsi,

il est constamment tramé de ténèbres et de soleil,

cette tension, il ne suffit pas de la discerner, il faut l'assumer, l'endurer, la porter en soi, apprendre à ne pas s'en défaire,

il semble plus simple et confortable de se convaincre que le monde est d'un seul bloc,

mais il est plus intéressant,

et libérateur,

de conserver la tension du monde, de la laisser rejouer en chaque geste, chaque instant,

tout est délicieux, en pleine paix ? pourquoi nier de ce fait la misère du monde, la douleur et l'horreur ? quand vient le désespoir, pourquoi devraient disparaître de l'horizon la joie, la douceur, la tendresse ?

rien ne surmonte cette tension des contraires,

inutile de s'embarrasser d'une dialectique promettant la résolution de ces conflits,

ils peuvent évoluer, se métamorphoser, emprunter de nouvelles formes, mais en aucun cas définitivement s'aplanir

bien sûr, tantôt l'un l'emporte, tantôt l'autre,

toutefois jamais l'un ne dissout l'autre, ne l'englobe, ne le fait disparaître

la tension persiste,

elle est la réalité même, ne peut être surmontée ni
supprimée
s'il arrivait qu'un versant l'emportât,
si dominait un seul élément,
on basculerait alors dans un univers qui n'aurait rien
à voir avec le nôtre
je nous vois donc pris dans un monde où se com-
battent toujours des dualités en tension, où les anta-
gonismes de forces opposées ne s'arrêtent jamais,
je nous sais destinés à disparaître sans retour, dému-
nis d'aucun accès possible à une connaissance ultime,
séparés à jamais d'une vérité absolue, première ou
dernière,
on ne peut pas dire que ce soit gai,
cela paraîtrait sans doute désespéré si ce désespoir
n'engendrait la gaieté
je déteste les lamentations, les abattements, les macé-
rations tristes, la complaisance à se morfondre
ces impasses se transforment en chemins d'allégresse,
l'impossibilité de connaître peut devenir source de
joie, la tension du monde fontaine de sagesse, l'absurde
motif de rire
dans le doute général, l'incertitude absolue, l'absence
de repères, existent malgré tout, contre toute vrai-
semblance, des boussoles indiquant où se trouve la
vie,

la meilleure, la plus pleine, pas seulement « vivable »,
mais effectivement belle, désirable et drôle

★

choisir la vie, tout le temps et partout
malgré le néant, la mort proche, l'impossibilité de
rien assurer,
avec l'amour et d'autres forces encore,
c'est la seule issue
un jour, déjà lointain, avec des amis philosophes,
nous avons fait un jeu
dans l'hypothèse où chacun de nous pourrait revivre
sa vie une nouvelle fois, reparcourir son existence,
exactement semblable à celle qu'il venait de connaître
(tous souvenirs effacés, entre-temps, cela va de soi),
en revivant ses échecs, ses tourments, ses inquiétudes
aussi bien que ses joies, ses découvertes, ses extases…
dirait-il « oui » ou bien « non » ?
sans hésiter une seconde, j'ai répondu « oui »,
je vivrais volontiers de nouveau mon existence, sans
rien y changer
à ma grande surprise, les amis présents, philosophes,
et non des moindres, ont dit « non »
ces gens s'occupaient du bonheur, n'avaient que
sagesse à la bouche, prétendaient même conseiller
les autres, et une existence leur suffisait bien,

avec une deuxième, ils auraient trop !
j'ai compris, ce jour-là, à quel point, ils haïssaient
la vie, la refusaient,
l'expérience qu'ils en avaient faite les avait convain-
cus que cela ne valait pas la peine
si j'ai répondu « oui », c'est que le seul fait de vivre
m'a toujours semblé en lui-même désirable, incroya-
blement miraculeux
présence offerte, indéfiniment renouvelée,
pochette-surprise inépuisable et sans fond
tant et si bien que jamais je ne pourrais songer à
ne pas recommencer,
j'ignore si le bilan de ma vie est « globalement positif », comme les communistes le disaient du régime
soviétique,
mais elle incarne, cette vie, comme toutes les vies,
un appétit qui se suffit à soi-même, ne peut que
désirer, s'efforce de recommencer, continuer, poursuivre, indéfiniment
je serais donc toujours preneur d'une deuxième vie,
d'une troisième,
d'une quatrième,
d'un nombre d'existences indéfini,
toutes semblables à celle que j'ai vécue,
mêmes jouissances,
mêmes souffrances,

je reprendrais tout le lot,
encore et encore et encore
ce qui rive à l'existence, c'est un appétit, comme
disait Spinoza, désir interminable, féroce, sourd,
vorace, volonté de toujours et d'encore, persistance
sans frein et sans loi, aux cent formes, aux mille
visages, capable de presque tout pour perdurer,
sa férocité est essentielle, mais le « presque » (dans
« capable de presque tout ») l'est également
ce désir inoxydable fait tenir au cœur du pire, porte
à endurer souffrances, maladies et malheurs,
sans la ténacité et la rage de cet appétit originaire,
chacun en finirait avec la vie au premier bobo, au
moindre chagrin
mais non, même quand rien ne tient,
même quand tout est devenu pénible, pesant, carré-
ment insupportable, la bête s'accroche, persiste, serre
les dents,
elle reste soudée à l'existence, et il est extrêmement
rare qu'il en soit autrement, il n'arrive pas fréquem-
ment que tout se détraque au point qu'on se tue ou
se laisse tuer, de même qu'il est rare que l'on tue,
farouchement, pour survivre
pourtant le lien à la vie ne concerne pas seulement
notre organisme, ce n'est pas notre survie qu'il choisit
d'emblée, à tous les coups

ce lien est aussi un lien aux autres,

nous ne sommes jamais certains de qui va l'emporter,
de notre peau ou de celle des autres, tant elles sont
intriquées, voire indistinguables, selon circonstances
et moments

s'il n'en était pas ainsi, on ne pourrait comprendre
sauvetages en mer, secours dans les incendies, solidarités dans les tremblements de terre ou les raz-
de-marée, ces cas innombrables où des humains
sauvent des humains au péril de leur propre vie,
alors qu'ils ne savent rien de ceux qui sont en
danger

en ces circonstances, jamais personne ne se pose de
question,

nul ne demande : qui sont ces gens ? méritent-ils de
vivre ? doit-on pour eux tout risquer ?

l'enfant va tomber dans le puits, le passant l'aperçoit,
s'élance pour le rattraper,

sans chercher à savoir qui sont les parents ni pourquoi l'enfant joue là, sans disserter sur le sauvetage
en tant que bonne ou mauvaise action

Mencius, le philosophe chinois qui prenait cet exemple
au IIᵉ siècle, savait déjà que pareilles interrogations sont
obscènes, ne peuvent trouver aucun espace pour se
formuler

le passant fonce, se jette sur l'enfant

sans délibération, sans réflexion,
et tout être humain peut en faire autant, en d'autres
circonstances,
ce lien humain l'emporte sur la subjectivité, la clô-
ture sur soi de l'individu, l'égoïsme supposé des
sujets
il fait comprendre qu'existent nombre de situations
où notre propre existence passe au second plan, où
se trouvent mis entre parenthèses notre survie, notre
intérêt, notre confort, où mourir n'est rien, à la limite,
qu'un effet secondaire de l'action
ceci vaut pour les sauvetages, mais aussi pour quantité
de guerres, résistances, luttes armées, combats politiques ou religieux, anciens ou modernes,
les humains ne cessent d'inventer, au fil des millénaires, des raisons de vivre plus hautes, à leurs yeux,
que leur existence singulière et leur survie individuelle,
plutôt mort qu'esclave,
plutôt mort qu'humilié, vaincu, occupé, clandestin,
soumis
plutôt mort que privé de droits, de foi, d'honneur,
de libertés, de dignité
le schéma semble toujours le même : des raisons de
vivre l'emportent sur une survie qui en serait pri-
vée, quand bien même demeurent inconciliables les
croyances, les combats, les époques, les contextes

dans cette exigence radicale, faut-il voir signe de l'humaine folie ?

une vieille rengaine désabusée incite à le croire, elle répète avec suffisance qu'aucune idée ne vaut qu'on meure pour elle

donner sa vie pour une religion, une politique, une nation, une cause quelle qu'elle soit serait preuve de déraison

tout héroïsme alors serait enfant de l'aveuglement et de la bêtise

on en tirerait d'étranges conséquences :

qui réfléchit ne devrait plus croire,

devrait toujours finir planqué, peinard, victorieux des illusions et des fanatismes,

sensé, sécurisé, préservé des mirages

pourtant, pareille vie est veule, torve, grise

elle se proclame plus humaine, mais au prix de l'indifférence et surtout de l'indignité

je vois les choses autrement

*

les humains sont grands par leur folie

nécessairement déraisonnables, nul n'en peut disconvenir, mais c'est là leur destin

on mettra tant qu'on veut sur le compte de la déraison leurs passions religieuses, leurs fanatismes politiques, leurs exigences révolutionnaires, leurs systèmes du monde,

on signalera les invraisemblances et le ridicule de leurs superstitions, de leurs prétendues révélations, de leur magie déguisée, de leurs utopies, de leur monde parfait, de leurs justices en délire

tout cela est exact, mais il n'y a pas d'issue à cette folie

pire : la raison elle-même est une de ses manifestations, croire qu'on puisse vivre totalement sous la conduite de la raison, que toute déraison puisse être abolie, n'est qu'une folie de plus

Pascal le savait bien : « les hommes sont si nécessairement fous, que ce serait être fou par un autre tour de folie, de n'être pas fou »

il convient de restaurer ce vieux thème de la folie humaine

la folie banale, commune, courante,

au sens d'Érasme, de Pascal et consorts, loin des souffrances qui ravagent certaines existences

elle fut à tort délaissée, la raison ayant occupé toute la scène

on a critiqué cette puissance démesurée accordée à la raison, cela n'a pas revivifié pour autant l'antique discours sur la déraison, qui n'avait pas quitté la pensée de l'Antiquité à la Renaissance

et pourtant on ne devrait jamais s'en lasser, de cette
folie des humains
la raison est monotone, vite ennuyeuse, malgré ses
grands desseins et ses vastes pouvoirs, ou à cause
d'eux
mais la folie ! quelle merveille, la folie ! jamais à court,
indéfiniment ingénieuse, inventive, diverse
la raison est une, la déraison infinie
dans ses formes, ses manifestations, ses atours
il convient donc de toujours considérer les humains
sous l'angle où ils apparaissent ivres de délires, hagards
de rêves et d'illusions, prêts à épouser une sordide
supercherie, disposés à suivre avec enthousiasme une
obscure bêtise
condition pour survivre avec allégresse : considérer
l'humanité
y compris ce qu'elle a de plus haut, de plus respec-
table, de plus renommé, y compris ses institutions
fondamentales, ses héros illustres, ses grands hommes
comme un ramassis effroyable de dingues, d'halluci-
nés, de déments effarés
prendre les génies pour des détraqués, les créateurs
pour des malades, les rois de tous domaines pour des
dérangés dangereux,
voilà le point de méthode
il est excessif, cela va de soi,

donc à manier avec précaution,

mais il garantit de ne pas se laisser entraîner d'emblée par quelque candide admiration

c'est avant tout le génie inventif du délire qu'il convient le plus d'admirer, sa puissance infinie de forger des illusions nouvelles, de repeindre les anciennes, de nier les contradictions, de dénier la réalité, voire le simple bon sens

si les humains ont un point commun, indépendant des siècles, des langues, des développements techniques, c'est ce pouvoir de fabuler, d'inventer des mondes fictifs et de parvenir à y vivre, plus ou moins complètement, plutôt que dans le réel

ainsi vont-ils, hagards et titubants, les yeux dans les étoiles, les pieds dans l'eau, tâtonnant, les mains glauques, éternellement

ces singes fous, trop intelligents pour ne pas éprouver l'étrangeté de leur sort, pas assez pour l'élucider, animaux pitoyables, grandioses en leur genre, risibles et bouleversants, fraternels assassins, apôtres criminels, je les aime assez pour ne m'en lasser jamais

j'ai toujours faim des humains, grand appétit de leurs dingueries infinies, ce n'est pas que je les aime à proprement parler, je ne suis pas assez chrétien pour cela, mais je désire sans cesse les surprises effarantes qu'ils inventent à foison si je n'avais plus qu'une heure à vivre, je consacrerais donc un instant à rappeler que les humains sont fous, qu'ils délirent l'existence, échafaudent à tout propos – sur le monde, l'au-delà, le bien et le mal, le vrai et le faux, la vie et la mort, et nombre de sujets de même acabit – une infinité de théories fumeuses, d'hypothèses absurdes, d'explications brouillonnes, de certitudes foireuses, de convictions criminelles et de doctrines tantôt effroyables tantôt ridicules, parfois les deux ensemble

je ne m'abstrais évidemment pas de cet asile universel

pas question de prétendre me tenir au-dehors, ailleurs, imbu de je ne sais quelle supériorité dédaigneuse, je ne vais pas contempler avec mépris, du haut de ma sagesse lucide, la cohorte titubante de mes semblables aveugles

au contraire je reconnais délirer, moi aussi, comme tout humain, depuis toujours

je revendique même cette condition d'animal déraisonnable, parce qu'elle est indépassable, irrémédiable, contre toute attente, elle constitue notre grandeur

on ne peut en sortir, à cause du défaut radical de nos capacités de connaître

faute de savoir, nous devons toujours imaginer, boucher les trous de nos connaissances avec nos fantasmagories, cauchemars et utopies

là se tient la grandeur humaine, la spécificité de l'espèce,
son génie incomparable aussi bien que pitoyable,
nul n'échappe à cette absolue nécessité : forger des
fictions, élaborer des mythes, des histoires, des grilles,
des interprétations, des machines à faire du sens
ces machines tournent à plein régime, fonctionnent et
dysfonctionnent continûment, de manière grandiose,
ainsi se construit l'histoire, dépourvue de tout progrès
mais indéfiniment différente
d'où vient pareille obstination à forger des fables ?
quelle insuppressible nécessité contraint les humains
à inventer des fictions pour approcher le réel ?
j'ai un délire disponible à ce sujet
il me semble que les humains ne s'adressent pas seulement les uns aux autres, ne reçoivent pas seulement des messages les uns des autres, mais ont la
prétention de « s'adresser » tout court, de « recevoir »
tout court
cette attitude a beau être omniprésente, elle reste mal-
commode à décrire
peut-être faudrait-il dire que s'impose à notre esprit
un interlocuteur absent, marqué du signe de l'infini,
pas forcément quelqu'un, une personne, une figure
ni une conscience, plutôt une dimension traversant
toutes nos expériences, tous nos discours et nos
relations

dans les histoires délirantes des humains se profilent
toujours de l'infini et de l'absence
les humains, et eux seuls, se reconnaissent à ce creux
au sein du réel que ne fore, visiblement, nulle autre
espèce
ce trou dans la compacité du monde permet aussi la
beauté

★

l'infini et le beau sont jumeaux,
des liens étroits les unissent
ainsi est-il étrange, en fin de compte, que les humains
éprouvent tous, si communément, de façon si fré-
quente, répétée, sans accoutumance aucune, le sentiment que la Terre est belle,
dans la banalité sans nom de cette émotion se tient
une énigme, ancienne et actuelle, qui n'est pas élu-
cidée, et sans doute ne peut l'être, mais ne peut être
négligée
il suffit de très peu, coucher de soleil, profil de nuages,
aurore en montagne, scintillement des vagues, horizon bleu, rouge, brun, gris, forêts touffues, steppes
arides, dunes orange…
offerts à profusion, une infinité de panoramas usuels
suscitent cette émotion intense, suggérant que
quelque chose nous dépasse, on ne sait quoi, familier

et surprenant, comme si toujours cette beauté du
monde nous étonnait vraiment,
donnée pour la première fois, surgissant par surprise
pour la millième fois, parfois écrasante, impression-
nante toujours bouleversante
« c'est beau » est une phrase qui devient mystérieuse
quand quelqu'un la prononce au sujet de la nature
parce qu'elle affirme, sans pouvoir expliquer, une
connexion originaire entre notre sens esthétique et
le monde
rien n'interdit d'imaginer que nous puissions trouver
la Terre laide, ou qu'elle nous demeure indifférente,
nous ne serions émus que par des œuvres humaines,
des formes artistiquement créées, des spectacles
composés
ce n'est pas le cas
nous sommes au contraire perpétuellement sidérés par
la nature, terrestre ou cosmique,
sous-bois ou galaxie, crique discrète ou trou noir, vallon
ou naines blanches, géantes rouges ou aurore boréale,
tout ceci rend nos agitations infinitésimales, notre
affairement dérisoire, nos anxiétés risibles
chaque fois que nous entrevoyons les immensités, les
abysses, l'étrangeté radicale de la matière la plus
proche, impassible et inaccessible, une façon de voir
vertigineuse devient possible, parfois se précise

une pensée de l'immuable,
un immuable en mouvement, en devenir
dont le caractère immobile, paradoxal, naîtrait de son
tournoiement éternel
comment dire ?
c'est à la frontière de ce qui peut s'énoncer
il faudrait entrevoir que rien ne bouge, rien ne change,
alors même que tout vibrionne, explose, jaillit

*

il faudrait, pour revenir à l'histoire humaine, s'imaginer que *les révolutions tournent en rond*, comme celles
des astres,
j'ai cru, dans ma jeunesse, que la révolution était une
bonne chose, et qu'elle était possible
j'ai rêvé, éperdument, et je n'étais pas le seul, d'un
bouleversement absolu, grand fracas préludant au
bonheur
le monde allait changer de base, la raison tonnait en
son cratère,
nous devions sacrifier quelques têtes, supposées pour-
ries, mais pour le salut public
j'en suis venu à penser autrement
le gentil Montaigne, homme si doux, maître à vivre
dont on vante nuit et jour les conseils si sages, les
mérites si grands, explique qu'une coutume établie,

fût-elle injuste ou déraisonnable, vaut mieux que les risques imprévisibles engendrés par son abolition,

mieux vaudrait donc la mauvaise loi qui a fait de l'usage, qu'ont confortée la patine des siècles et l'accoutumance de tous, que la nouveauté prétendument bien conçue,

sa mise en œuvre va désorganiser ce qui est en place, avec des répercussions incontrôlables, éventuellement désastreuses, voire des catastrophes amoncelant les cadavres

sans doute cette idée qu'il est préférable de ne pas changer nous choque-t-elle

au fond de nos fibres, de nos jugements habituels, se trouve toujours cette conviction qu'il faut agir, qu'un progrès est possible

me rapprocher sur ce point de Montaigne m'a d'abord étonné, m'a paru presque honteux, comme si j'en venais à incarner soudain ce que j'avais longuement détesté

mais j'ai admis sans retour qu'il fallait se défier des utopies, des rêves radicaux, des postures destructrices de la rebellitude

sans pour autant devenir conservateur

car personne, jamais, ne souhaite vraiment laisser les choses en l'état

dans un monde inégal et inique, sacraliser l'immobi-
lisme et diaboliser le changement sont des attitudes
idiotes, irresponsables

la difficulté réside dans la délimitation entre ce qui
vaut d'être soustrait aux tentatives de bouleversement
et ce qui peut sans dommage être transformé

parfois évidente, cette délimitation est souvent impossible,
ou mal comprise, mal conduite

parce que l'humanité est toujours jeune, au sens où
les humains vivants viennent de naître, que la matu-
rité n'est pas cumulable ni même vraiment transmis-
sible, à la différence des savoirs objectifs, scientifiques
et techniques

certes on a vu se construire des solidarités, des systèmes de sécurité, des zones de paix relative

elles me semblent fragiles, temporaires, et surtout locales,
la récente Europe, par exemple, est probablement une
parenthèse dans l'histoire, une bulle de lassitude et
de convalescence, une maison de repos pour peuples
à bout de force

au-dehors, c'est-à-dire à peu près dans le monde entier,
la règle des combats reste en vigueur, les violences
suivent leur cours,

à cette nuance près que la puissance de destruction
devient inouïe, tandis que la démence humaine reste
identique

devrais-je donc me consoler, puisqu'il ne me reste que très peu de temps, en pensant à tous ces maux auxquels j'échappe ?

non pas ces misères de toujours, plaies permanentes de la condition humaine, que je continuerais volontiers à supporter encore,

je pense aux terreurs nouvelles qu'engendre une puissance récente,

leur liste est longue et bien connue : pandémie de virus mutants, accidents nucléaires, bidouillages génétiques, fanatismes victorieux, détraquements des écosystèmes, de la biodiversité, du climat, de l'alimentation, de l'hygiène...

je répugne au catastrophisme, j'ai la nausée à l'idée de mariner dans l'inquiétude, comme tant de mes contemporains le font volontiers

j'aime la technique, je ne la crois, par elle-même, ni maléfique ni démente

à force de voir tant de militants au front bas s'agiter, j'aurais parfois envie de crier : « vive les OGM ! vive les nanotechnologies ! vive le nucléaire ! vive le gaz de schiste ! »

ce serait agir bêtement, il est vrai, tant il est évident que tout n'est pas sans inconvénient dans ces techniques mais tout n'y est pas non plus si effroyable que le proclament ceux qui se mobilisent contre elles sans débattre ni s'informer

ce qui m'inquiète n'est pas une technologie, en réalité neutre, et dans l'ensemble bénéfique,

mais les humains, que je juge dans leur ensemble ignorants, crédules et déments, auxquels la technique offre à présent des pouvoirs jamais égalés

d'où ce sentiment de voir le monde régresser quand les disciplines savantes progressent, la barbarie s'étendre à mesure que la civilisation s'accroît, la bêtise s'implanter alors que les communications s'intensifient

d'où ma crainte d'un avenir sombre

rien n'exclut de grands massacres, des affrontements inouïs, des horreurs auprès desquelles tout ce qui fut déjà commis paraîtrait insignifiant

je peux souhaiter que l'humanité survive, s'apaise, s'éclaire, s'éduque

je n'y crois qu'à demi, ne pouvant éliminer l'éventualité d'un naufrage complet

en ce sens, ne pas voir la suite du film pourrait devenir une sorte de soulagement

pourtant, tout plutôt que baisser les bras, prendre la fuite

pourrait-on cesser de seulement dire « oui » ou « non » ?

le refus est paré de mille gloires,
toute une mythologie du non et de la résistance se
tient à disposition
mais penser n'est pas seulement « dire non »
c'est aussi acquiescer aux évidences, à ce qui est, aux
simples faits, cesser de se cabrer, accepter d'être
submergé
refus crispé ou acquiescement pacifié laissent toujours
en place le non et le oui
il doit être possible, me semble-t-il, d'aller au-delà
sans les annuler ni les combiner
voir plus loin, ailleurs
là où on ne dit plus ni non ni oui
ni à la vie ni à la mort
trouver quelque chose comme un « c'est ainsi » dont
j'ai à présent le sentiment d'approcher
c'est là
sans qu'il y ait de chemin
rien que l'attente d'une autre netteté

*

je sais qu'*à présent j'arrive au bout du bout*
à la fin de cet exercice de la dernière heure, séjour
en bord de mort, fiction plus révélatrice que le réel,
car celui qui agonise vraiment n'est plus en état de

penser, tout s'est déjà joué, sans lui, ou juste à côté,
de biais, de travers, par la bande
au contraire je ne voulais pas rater la confrontation,
la seule solution était de l'anticiper,
le problème du trépas ne réside pas dans les faits,
seulement dans ce que nous pensons d'eux,
mais nous songeons de moins en moins à la mort,
préférons détourner le regard, parler d'autre chose,
nous occuper de n'importe quoi pourvu d'être empê-
chés d'y réfléchir,
cette fausse insouciance fait perdre de vue non pas
la mort mais l'essentiel de la vie
sauf que cette fois je sais que ça va arriver
et c'en est fini de la philosophie, des belles considérations
sur l'apprentissage de la mort, de la sérénité, de l'indifférence du sage, de la plénitude du moindre instant
je ne suis plus qu'envie de pleurer, doucement, par
terre, sans force, effondré, sans cri, à petit bruit, sans
un mot sans même une idée, sans émotion à proprement parler, sans sentiment ni quoi que ce soit,
juste anéanti, atterré, incapable du moindre geste, pratiquement sans pensée, presque chose, écrasé par le
dessus, aplati, épuisé, tétanisé, vidé, laminé, comme
roué de coups, sonné, sans tête, la tête vide
si vide qu'il n'y a plus rien, hormis cette chose au
sol, immobile, sans énergie, liquéfiée, prête à s'épandre,

pas morte encore mais plus vraiment vivante, silence, silence immobile, consternation, une larme, même pas, même plus, abasourdi, perdu, longtemps comme ça, sans doute, je ne sais pas, ne sais plus, le sens du temps aussi s'est effondré, plus qu'un moment, un dernier, le tout dernier, ça fait tout perdre, ça n'a pas de sens, si c'est vrai ça brise, et puis…

du temps, cette fois, je n'en ai plus,

l'échéance est fixée, elle arrive,

je sais bien que, dès que nous sommes nés, et quoi que nous fassions, cela doit arriver, je le sais depuis le début, pourtant ce savoir est impossible,

sa certitude est sans contenu,

je sais que je vais mourir mais j'ignore ce qui m'attend, ce que cela signifie, ce qui va advenir,

voilà une pseudo-connaissance, un prétendu savoir qui ne fait rien saisir,

situation la plus étrange qui soit,

chacun de nous meurt pour la première et pour la dernière fois, sans savoir avant de quoi il va s'agir,

ils me font rire, les philosophes, avec cet absurde et vieux projet d'« apprendre à mourir »,

comme s'il était possible d'apprendre ce qui ne se répète pas,

dont on ne peut avoir d'expérience qu'unique et intransmissible, la mort ne s'apprend pas,

ne peut être, en aucun sens, d'aucune façon, objet d'un entraînement quelconque

tout ce qu'il est possible d'envisager, c'est de se préparer à faire bonne figure, se conditionner pour traverser dignement l'épreuve ultime, la lutte finale, le combat supposé de l'agonie, ce mot qui rappelle la guerre et l'affrontement,

une longue tradition envisageait le trépas en instant de vérité, crucial, définitif, où on « voit le fond du pot », comme disait Montaigne,

pour nous, cette fable s'est estompée, personne ne cultive plus l'ambition de réussir sa sortie, de fermer le rideau en héros, nous mourons au hasard, à l'écart, sans éclat ni lutte ni lustre,

un hôpital, des tuyaux, une porte au fond d'un couloir sans fenêtres saturé d'odeurs de désinfectant,

pas du tout comme à la Renaissance,

il y avait foule dans la chambre des mourants

quelqu'un mourait ? dans cette maison, au premier, la fenêtre qui fait l'angle ? tout le monde entrait, zyeutait, palabrait, soutenait le combat, s'agglutinait autour de l'agonisant,

qui donc, aujourd'hui, dirait : « viens, quelqu'un est en train de mourir, allons faire un tour » ?

la plus grande difficulté, c'est la bonne tessiture entre
déni et désespoir, entre obsession et annulation,
parce que tout oscille,
soit la mort n'existe plus, croit-on, elle est oubliée,
annulée, gommée, nous nous croyons éternels comme
des dieux,
soit nous tentons de la fixer, et les larmes brûlent,
brouillent la vue, défont, déforment l'espace, la mort
suscite cette abominable peur au ventre,
bientôt, plus jamais je ne verrai ni le soleil ni la nuit,
plus jamais je n'entendrai le souffle des êtres aimés,
les voix des amis, le chuchotement des vagues au
soir sur les sables, le cri du ressac sur les rocs par
temps de grand vent, plus jamais je n'aurai contre
ma peau la douce tiédeur de la femme dont je partage la vie et qui partage la mienne, plus jamais je
ne jouirai,
fin des extases, des saveurs, des parfums, des idées,
des mots,
de quoi gémir, claquer des dents, hurler de frayeur,
en vain, bien sûr,
puisque ma fureur triste jamais ne changera d'une
seconde l'échéance,
ce lamento est à usage interne, je n'y ai d'yeux que
pour moi, mon sort affreux, je tourne en ténébreux
autour de mon nombril…

toutes les autres existences vont se poursuivre, celles de mes proches, de mes concitoyens, de tous les humains,

celle des toucans et des chiens, des monstres des abysses, celles des lémuriens et des violettes de Parme, celle du jambon aussi, sans que je sache choisir d'en rire ou d'en pleurer

la vraie difficulté, c'est le curseur,

le truc à équilibre, le moyen de doser panique et sérénité, la manette à zénitude,

je crois que je l'ai perdue,

peut-être ne l'ai-je jamais eue,

il ne faut pas croire ce qu'on dit, ce que j'ai dit, voulu faire croire, cru moi-même sans doute, au bout d'un moment, non, je ne suis ni calme ni serein ni assuré ni rassuré, rien de tout cela, pas du tout, au contraire, au contraire, perdu, paumé, démuni, dénué, incapable de tenir le coup, le choc, incapable de me rassembler, de calmer le jeu, de rester stable, cohérent, unifié, lisse,

je glisse, me défais, je dérape, je m'enlise, me noie, m'ennuie, m'affole, perds pied, perds la boule, perds mon souffle, perds le nord, mes esprits, le sens des réalités, l'appétit, du poids, le fil

c'est bizarre ça parle tout seul, des mots s'écrivent, des trucs se disent sans que j'y sois pour rien, comme ça,

tout seuls, automatiquement, d'eux-mêmes, à mon insu
enfin presque, enfin non, pas à mon insu, parce que je
vois bien ce qui se passe, mais plutôt sans que j'y sois
pour rien, activement, je veux dire, voilà, ce n'est pas
moi qui décide, pas moi qui choisis, qui dirige ni qui
contrôle, ça se fait comme ça, dans le fond, ce serait
presque comme un début de calme, ce truc qui suit
son cours, cette série de phrases qui se construit sans
que je la forge volontairement, qui se mettent toutes
seules bout à bout, ça commencerait presque à rassurer,
oui ça rassure
si je n'avais plus que cinq minutes à vivre, je n'appel-
lerais aucun des hommes du sacré
je ne ferais mander ni prêtre ni pasteur, ni rabbin ni
imam, ni lama ni gourou, pas même un médecin,
sauf pour la morphine, au cas où,
je ne crois ni en leur intercession ni en aucun de
leurs pouvoirs supposés
je m'apprêterais donc à disparaître à jamais, supposant
qu'il n'y a aucun après, nulle autre vie,
je n'en sais rien et suis conscient de cette ignorance,
je sais que je suppose, que je donne là une réponse,
pas une preuve
peut-être, du coup, serais-je bientôt surpris, même
si, évidemment, je ne crois pas qu'il en sera autrement
que dans ma conviction

je ne redoute rien, ni jugement ni châtiment, n'espère
aucune récompense, me considère sans espoir comme
sans peur

du moins, faut-il ajouter par souci d'honnêteté,

à l'instant,

et autant que faire se peut,

celui qui prétendrait, juste au moment du trépas, être
assuré de vraiment tout maîtriser, de ne pas se raidir,
de ne pas trembler, de n'appeler personne au secours,
celui-là mentirait

je ne veux mentir ni aux autres ni à moi-même,

sans doute, dans les derniers instants, parce que toujours un humain s'adresse, parlerais-je d'abord, à voix
basse, à mes proches

je leur dirais à chacun quelques mots

à ma femme que je l'aime plus que tout, bien plus
qu'elle ne le sait,

à ma fille que je suis fier d'elle et de tout ce qu'elle
devient

à ma sœur qu'elle fut la complice de toujours même
quand nos chemins divergeaient

à mes parents qu'ils surent me rendre libre et en cela
furent parfaits

à Paul qu'il est le frère que je n'ai pas eu

à Christian qu'il est disparu dignement et trop tôt

à quelques autres, murmures silencieux et tendresses secrètes, je ne suis pas là en exhibitionniste

après m'être ainsi adressé à l'intime constellation de ceux qui firent ma vie, qu'ils fussent présents ou absents, faute de parler à aucun Dieu, je tenterai de dire, à tous les autres, déjà nés ou à naître, qui par la magie de l'écriture pourraient lire ces lignes bien après moi,

que la vie

est profusion, surabondance, éternel trop-plein

est multiple, imprévisible, contrastée, jamais à court,

qu'elle reconstitue ses ressources quand elle paraît épuisée, désertique, brûlée

qu'elle est toujours à choisir, à préserver, à inventer, à tâtons, sans savoir, impérieusement, contre tout ce qui détraque, détruit, ralentit

qu'il n'y a pas – et heureusement ! – de recettes, de préceptes ni de règles, intangibles et immuables, qu'on pourrait se contenter de suivre et d'appliquer

que chacun doit inventer, bricoler, décider, assumer, dans la brume d'incertitude et le brouillard de la guerre, le règne des aléas

s'il ne me restait plus que quelques secondes, ayant dit à peu près l'essentiel de ce qui m'importait, balayé des scories et des miasmes, aligné des phrases,

condensé expériences et pensées, composé les bribes
d'une loi fragile, incertaine, rieuse, confiante pourtant, laissant à d'autres de faire le tri, d'organiser les
gloses, de poursuivre le mouvement, je serais par-
venu presque à la fin,
il ne me resterait pas le temps de rédiger ma nécro-
logie, ce que je regrette, car je n'ai pas confiance
dans les journaux,
je peux encore griffonner mon épitaphe
je la voudrais digne de mes hauts faits, capable de
dire la vie d'un homme qui sut frayer sa voie au
milieu des hasards, jouer de son intuition, transformer
les aléas en doctrine et les pépins en semences,
qui eut presque toujours l'heureuse surprise, en
découvrant quelque œuvre de la nature depuis longtemps celée, d'y trouver une saveur fraîche, insolite
et suave,
alors, en y pensant,
« *il savait choisir les melons* »
ne me déplairait pas

★

savoir comment vivre
la question a l'air très compliquée
j'ai longtemps cru qu'elle l'était effectivement,
à présent je pense que ce n'est pas le cas,

au contraire, c'est extrêmement simple
la réponse ne dépend de rien qui doive être déduit,
élaboré, trouvé au terme d'un long travail
savoir ce qu'est le bien,
comprendre comment se comporter envers les autres,
ne dépendent en fin de compte d'aucune réflexion
ni même d'aucune pensée
les réponses s'imposent comme évidences sensibles,
sensations, faits aussi présents que la couleur du ciel,
la force du vent, la chaleur du feu
j'ai mis beaucoup de temps à saisir qu'il en est ainsi,
qu'il n'y a rien à comprendre et tout à ressentir,
la vertu, dont les Grecs nous rebattent les oreilles,
Socrate en tête, et à sa suite tous les autres, n'est pas
démontrable,
jamais déduite ni déductible,
elle est toujours posée, éprouvée, ressentie du dedans,
par illusion, on a cru que c'était l'affaire de la raison,
la conclusion d'un syllogisme
alors qu'il s'agit d'un donné, un point de départ assez
semblable au bête fait de respirer, de manger, de voir
— de vivre
vivre, pour les humains, implique un monde organique autrement structuré que pour l'animal
dans ce donné corporel, l'autre a sa place, son existence

la distance à l'autre – proximité, éloignement, trop
près ou trop loin – a son importance,
mais jamais rien n'en est décrété, soupesé, instauré
au terme d'une délibération
tuer de sang-froid un humain, le violenter, l'humilier,
le dépouiller sont des actes dont je me suis continûment senti incapable,
porter atteinte à l'intégrité d'un corps, commettre
un meurtre d'âme, trahir une confiance, je n'ai
jamais pu le vouloir, même s'il a pu m'arriver de
le faire
si je cherche à savoir pourquoi, au nom de quelle
idée, de quel principe, de quelle décision,
la justification de cette réponse m'échappe, se dérobe,
paraît inaccessible
mais son évidence s'impose,
signe d'elle-même,
aussi fortement, de façon aussi injustifiable
que se donnent à vivre, irréfutablement,
l'éclat du soleil, la matité de la nuit

REMERCIEMENTS

À Monique Atlan, ma compagne, pour tellement de raisons et de déraisons, et tant de leçons joyeuses de savoir-vivre,

À Michèle Bajau, pour son travail efficace dans la saisie de certaines parties du manuscrit,

À mon éditeur et ami Bernard Gotlieb, pour son attention, ses conseils et sa confiance fidèle.

TABLE DES MATIÈRES

Enquêtes philosophiques

L'Oubli de l'Inde. Une amnésie philosophique, Presses universitaires de France, 1989 ; nouvelle édition revue et corrigée, Le Livre de Poche, « Biblio Essais », 1992 ; réédition Seuil, « Points Essais », 2004.

Le Culte du néant. Les philosophes et le Bouddha, Seuil, 1997 ; réédition Seuil, « Points Essais », 2004 ; traduit en japonais, en bulgare, en anglais (États-Unis), en coréen.

Généalogie des barbares, Odile Jacob, 2007, traduit, en espagnol, en coréen.

Les Héros de la sagesse, Plon, 2009 ; réédition Flammarion, « Champs », 2012 ; traduit en espagnol, en italien, en portugais, en grec.

Le Silence du Bouddha, Hermann, 2010.

Humain. Une enquête philosophique sur ces révolutions qui changent nos vies, avec Monique Atlan, Flammarion, 2012.

Explications philosophiques

La Compagnie des philosophes, Odile Jacob, 1998 ; réédition « Poches Odile Jacob », 2002 ; « Bibliothèque Odile Jacob », 2010 ; traduit en turc, en néerlandais, en espagnol, en portugais (édition brésilienne, édition portugaise), en italien, en grec.

La Compagnie des contemporains. Rencontres avec des penseurs d'aujourd'hui, Odile Jacob, 2002 ; traduit en néerlandais.

Les Religions expliquées à ma fille, Seuil, 2000 ; traduit en coréen, en portugais (édition brésilienne, édition portugaise), en catalan, en italien, en néerlandais, en espagnol (édition argentine, édition espagnole), en polonais, en japonais, en allemand, en danois, en chinois, en roumain.

La Philosophie expliquée à ma fille, Seuil, 2004 ; traduit en portugais, en allemand, en italien, en espagnol, en grec, en roumain, en japonais, en bulgare, en letton, en chinois (Chine populaire), en catalan, en basque.

L'Occident expliqué à tout le monde, Seuil, 2008 ; traduit en allemand, en portugais, en italien.

L'Éthique expliquée à tout le monde, Seuil, 2009 ; traduit en espagnol, en bulgare, en roumain, en vietnamien, en chinois (Chine populaire).

Une brève histoire de la philosophie, Flammarion, 2008, Grand Prix du Livre des professeurs et maîtres de conférences de Sciences Po 2009 ; réédition Flammarion, « Champs », 2010 ; traduit en grec, en espagnol, en arabe, en italien.

Osez parler philo avec vos enfants, Bayard, 2010 ; traduit en italien, en finnois.

Vivre aujourd'hui avec Socrate, Épicure, Sénèque et tous les autres, Odile Jacob, 2010 ; réédition « Poches Odile Jacob », 2012 ; traduit en italien, en espagnol, en portugais (Portugal, Brésil).

Maîtres à penser. 20 Philosophes qui ont fait le XXe siècle, Flammarion, 2011 ; réédition Flammarion, « Champs », 2013 ; traduit en grec, en arabe, en roumain, en coréen.

Ma philo perso de A à Z, Seuil, 2013.

Expériences et contes philosophiques

101 expériences de philosophie quotidienne, 2001, Odile Jacob, 2001, prix de l'essai France-Télévisions ; réédition « Poches Odile Jacob », 2003 ; traduit en italien, en allemand, en anglais (édition anglaise, édition américaine), en espagnol (édition espagnole, édition argentine), en portugais (édition brésilienne, édition portugaise), en coréen, en néerlandais, en finnois, en grec, en suédois, en norvégien, en danois, en japonais, en roumain, en estonien, en tchèque, en chinois (édition de Taïwan, édition de Chine populaire), en hébreu, en polonais, en turc.

Dernières nouvelles des choses. Une expérience philosophique, Odile Jacob, 2003 ; réédition « Poches Odile Jacob », 2005 ; traduit en allemand, en anglais, en coréen, en danois, en finnois, en chinois (Taïwan), en polonais, en chinois (Chine populaire), en néerlandais.

Votre vie sera parfaite. Gourous et charlatans, Odile Jacob, 2005, traduit en allemand.

Un si léger cauchemar (fiction), Flammarion, 2007.

Où sont les ânes au Mali ?, Seuil, 2008.

Petites expériences de philosophie entre amis, Plon, 2012 ; réédition « Marabout », 2013 ; traduit en espagnol, en turc.

Ouvrages en collaboration

La Chasse au bonheur, avec Antoine Gallien, Calmann-Lévy, 1972.

La Réalité sexuelle. Enquête sur la misère sexuelle en France, avec Antoine Gallien, préface du Dr Pierre Simon, Robert Laffont, 1974.

Philosophie, France, XIXᵉ siècle. Écrits et opuscules, avec Stéphane Douailler et Patrice Vermeren, Le Livre de Poche, « Classiques de la philosophie », 1994.

Des idées qui viennent, avec Dan Sperber, Odile Jacob, 1999.

Le Clonage humain, avec Henri Atlan, Marc Augé, Mireille Delmas-Marty, Nadine Fresco, Seuil, 1999 ; traduit en portugais, en grec, en chinois, en japonais, en arabe.

La Liberté nous aime encore, avec Dominique Desanti et Jean-Toussaint Desanti, Odile Jacob, 2002 ; réédition « Poches Odile Jacob », 2004.

Fous comme des sages. Scènes grecques et romaines, avec Jean-Philippe de Tonnac, Seuil, 2002 ; réédition « Points Seuil », 2006 ; traduit en coréen, en espagnol (édition espagnole, édition argentine), en japonais, en grec, en chinois (Chine populaire).

Michel Foucault. Entretiens, Odile Jacob, 2004 ; traduit en espagnol, en japonais, en portugais (Brésil), en italien.
Chemins qui mènent ailleurs. Dialogues philosophiques, avec Henri Atlan, Stock, 2005.
Vivre toujours plus ?, avec Axel Kahn, Bayard, 2008.
Le Banquier et le Philosophe, avec François Henrot, Plon, 2010.

Direction d'ouvrages collectifs

Présences de Schopenhauer, Grasset, 1989 ; réédition Le Livre de Poche, « Biblio Essais », 1991.
Science et philosophie, pour quoi faire ?, Premier Forum Le Monde-Le Mans, Le Monde Éditions, 1990.
Les Grecs, les Romains et nous. L'Antiquité est-elle moderne ?, Deuxième Forum Le Monde-Le Mans, Le Monde Éditions, 1991 ; traduit en grec, en anglais.
Comment penser l'argent ?, Troisième Forum Le Monde-Le Mans, Le Monde Éditions, 1992 ; traduit en anglais.
L'art est-il une connaissance ?, Quatrième Forum Le Monde-Le Mans, Le Monde Éditions, 1993.
Où est le bonheur ?, Cinquième Forum Le Monde-Le Mans, Le Monde Éditions, 1994.
L'Avenir aujourd'hui. Dépend-il de nous ?, Sixième Forum Le Monde-Le Mans, Le Monde Éditions, 1995.
Philosophie et démocratie dans le monde. Une enquête de l'UNESCO, préface de Federico Mayor, Le Livre de Poche/Éditions UNESCO, 1995 ; traduit en anglais, en espagnol.
Jusqu'où tolérer ?, Septième Forum Le Monde-Le Mans, Le Monde Éditions, 1996.
Agir pour les droits de l'homme au XXIe siècle, en collaboration avec Federico Mayor, Éditions UNESCO, 1998.
Lettres aux générations futures, en collaboration avec Federico Mayor, Éditions UNESCO, 1999 ; traduit en anglais, en espagnol.

Philosophie/lycée, Éditions de la Cité, Manuel Plus, 2000 ; réédition revue et augmentée Bordas, 2004.

L'Humanité toujours à construire. Regard sur l'histoire intellectuelle de l'UNESCO 1945-2005, Éditions UNESCO, 2005 ; traduit en anglais.

Philosophies d'ailleurs, Hermann, 2009 (2 volumes).

Vivre ensemble. Entre temps court et temps long, Forum du CESE sur le vivre-ensemble, PUF, 2013.

Cet ouvrage a été transcodé et mis en pages
chez NORD COMPO (Villeneuve-d'Ascq)
Imprimé par Hérissey à Évreux (Eure)
N° d'édition : 7381-3062-3 – N° d'impression : 121901
Dépôt légal : février 2014

Imprimé en France

On dirait qu'on serait
des C